CRITICAL

PRODUCER _ JIN LIHONG LI BO JING M,GUO
CHIEF EDITOR _YANG XIAN / CONTRIBUTING EDITOR _ ALICE.L [FROM ZUI] / VISION ART _ ZUI Factor [zui@zuifactor.com]
COVER ART _ ADAM.X [FROM ZUI Factor] / TYPESET ART _ ZHANG QIANG [FROM ZUI Factor] / ILLUSTRATION _ WANG HUAN [FROM ZUI]
MEDIA COORDINATOR _ ZHAO MENG / PRINTING MANAGER _ ZHANG ZHIJIE
INTERNET SUPPORT _ SHANGHAI ZUI [WWW.ZUIBOOK.COM]

西之亚斯蓝帝国

国土面积：148,790平方英里
人民生产方式：
耕种，捕猎，捕鱼，纺织，零售等
国家性质：水属性国家
首都：格兰尔特

目 录
CONTENTS

CRITICAL

第一章
世 界 观

每个国家的属性都不同，水、土、火、风循环相克。水克火，火克土，土克风，风克水。所以，不同国家的魂术师，如果在魂力级别不相上下的情况下，他们各自的属性，就决定了对阵时的强弱。

地理资料

～ 奥汀大陆 ～

　　奥汀大陆是被分为东南西北四个国家的：西方的水源亚斯蓝帝国、东方的火源弗里艾尔帝国、北方的风源因德帝国和南方面积最大也最神秘的地源埃尔斯帝国。

　　每个国家的属性都不同，水、土、火、风循环相克。水克火，火克土，土克风，风克水。所以，不同国家的魂术师，如果在魂力级别不相上下的情况下，他们各自的属性，就决定了对阵时的强弱。

～ 西之亚斯蓝帝国 ～

国土面积：148,790平方英里
人民生产方式：耕种，捕猎，捕鱼，纺织，零售等
民族分布：未知
国家性质：水属性国家
首都：帝都格兰尔特
城市：福泽镇 雷恩 褐合镇
王族的情况：【冰帝】艾欧斯为最高统治者。
王廷的权力构成：【冰帝】艾欧斯率领八位内阁大臣共同领导国家平民。八位内阁大臣建立八大家族，分别位于国家的东、南、西、北以及东南、东北、西南、西北。八大家族分别掌管国家八大产业，如农业、轻工业、重工业、通讯业、煤矿业等，势力对等，互不侵犯。
魂术世界的统治：三位【白银祭司】为首，七位【王爵】，九位【使徒】。【白银祭司】可下达【红讯】、【绿讯】和【白讯】，用以任命、罢免、降职以及杀戮【王爵】和【使徒】。

福泽镇·驿站

"窗外的夕阳把坐落在福泽镇镇口的这家驿站笼罩在一片温暖而迷人的橙色光芒里。从驿站门口望出去，是一条灰白色岩石铺就的笔直小道，道路看起来年代久远，已经在风雨和岁月里被抚摩出了细致而光滑的石面来。时不时地有行人背着各种形状大小的行囊在夕阳下行走，一看就不是本地人。偶尔也有马车运送着福泽镇特产的香料和手工缝制的皮革离开这个小镇。一直以来，福泽镇出产的这种以枫槐木的根须做成的香料就凭借着物美价廉的优势，在南方靠海的港口卖得特别好。"

地理位置：坐落在一片森林深处的小镇，位于亚斯蓝的西南部。

相关剧情：麒零长大的地方，没有什么会魂术的人，却是一座安静的小城，平民们安居乐业，直到有一天……改变麒零命运的，究竟是那五个接连死去的魂术师，还是神音，或者是接受了【白银祭司】命令的银尘？其实也许在很久以前，他，或他们的命运早就被安排好，只是我们谁也不知道。这里是开端，也许也会是结束。

福泽镇外·森林

"愈渐浓郁的夜色，将无边的森林笼罩在一层深灰色的暗影里，看上去静谧而又温柔。"

"遥远的天空上月光一片皎洁，从没有丝毫云朵遮盖的天空向下望去，一片静谧的原始森林中间，一条如同雄浑山脉一般巨大的黑色蜈蚣，正缓慢地爬过，所到之处，树木交错断裂，像是一条巨蟒爬过草地后留下的痕迹一样……泥土碎石沿着它路过的地方四处迸射，成千上万条巨大的腹足交错起伏地砸向地面，无数大地的裂缝交错蔓延，像是冰面的裂痕一样四处崩坏……"

地理位置：位于福泽镇外的森林，同处于亚斯蓝的西南部。

相关剧情：被打破的平静蔓延到这里，在神音和【苍雪之牙】的对抗中，神音重伤，而【苍雪之牙】却不知为何躲入麒零的体内而成为他的魂兽。银尘在这里找到麒零，开始教给他各种事情。当晚，【诸神黄昏】为何没有与幽冥为伴，为何会从这里经过？这个秘密和多年以前的那场变故有关吗？这是个谜团，在谜面的星空笼罩之下，若隐若现的是【赐印】的过程，和银尘始终将麒零保护在身下的那个背影。

心脏·预言之源

"它是皇室帝王居住的中心。它代表着格兰尔特最高的高度，它那几栋银白的尖顶，永远笼罩在云雾里面。偶尔有巨大的飞鸟从它的旁边飞过。嘹亮的神乐也来自于心脏顶端的钟楼，每天早晨，婉转的赞美诗般的旋律，都会笼罩整个格兰尔特。

但只有极少数的人知道，帝都真正的中心，是在这座心脏的地底。以地面为对称中心线的地下，有一座一模一样的倒立建筑在大地深处的宫殿。

而银尘，此时就在这个倒立建筑的最深处。

这个最深处的地方，叫做预言之源。"

地理位置：表面上所了解的，帝都格兰尔特是【西之亚斯蓝帝国】的中心，【心脏】是格兰尔特的中心，【预言之源】是【心脏】的中心，【白银祭司】是【预言之源】的中心。中心代表着宗教权力的至高点。【白银祭司】思维的中心，是【讯】的发出点。但其实【心脏】并非直接在格兰尔特的地下，而是通过一枚【棋子】与格兰尔特相连，事实上【心脏】真正的位置在【深渊回廊】的地底。

相关剧情：一切罪恶的发源地，因为【白银祭司】就是罪恶本身。这里是各种【讯】的发出地，【王爵】们在这里得知自己【使徒】的踪迹；这里是亚斯蓝最大机密《风水禁录》的藏匿之处，也是水源和风源联合制造【完美容器】的秘密基地。【心脏】的地下究竟有多少层？除了【白银祭司】们谁都不知道，也许，连【白银祭司】自己都不能预料。

港口城市雷恩

"作为亚斯蓝帝国的第四大都市，雷恩一直扮演着帝国出口咽喉港口的角色。无数的海运船只，都经由这个港口，卸货，载货，重新起航。

这个城市的居民，也一直安居乐业，并且生活富足。渔业和运输业，是这个城市的支柱。

但雷恩一直有一个秘密。

这个秘密是所有魂术师之间所共知的。那就是，它是【魂塚】的入口。"

"从这里数过去，第十七个神像，就是去魂塚的棋子。"

地理位置：位于亚斯蓝的西部，连接海域的港口城市。

相关剧情：莲泉第一次打抱不平华丽出场之处，银尘与麒零相处出【王爵】【使徒】情谊之处，幽花与麒零意外相遇之处，神音与莲泉首次对战之处；同样也是每次死里逃生后，大家心平气和聚集在一起开会之处。除去拥有一枚通往【魂塚】的【棋子】这个意义外，这座城市应当也充满了银尘和麒零温情的回忆。

雷恩海域·魂塚

"周围拔地而起的山崖，围绕成了这个巨大的像是远古遗迹般的洞穴。

四周岩壁的山石上，钢针般密密麻麻插满了成千上万把发亮的魂器。

无数把强力的魂器彼此感应着，发出剧烈的共鸣声，如同锋利的爪子，撕扯着鬼山莲泉最后的意识。"

地理位置：亚斯蓝的西部海域，位于【永生之岛】正下方，【尤图尔遗迹】正上方，也是囚禁吉尔伽美什的三道封锁线之一。

相关剧情：一个只接受"新人"而拒绝"老人"的地方，有了属于自己的【魂器】之后，就再也无法通过【棋子】进入了。它的底部蛰伏着上古四大魂兽之一【祝福】，也许除了莲泉、麒零和幽花，曾有更多的少年在此并肩作战，只是那些都已成过去。当【棋子】失效的时候，银尘和莲泉带着义无反顾的决心潜入海底，骗过了【祝福】，进入到【尤图尔遗迹】去解救吉尔伽美什。

深渊回廊·北之森

"两侧拔地而起的高大黑色山脉，把蓝天拥挤得只剩下一条狭窄的缝隙。

峡谷的入口处，弥漫着浓厚的乳白色大雾。峡谷深处被大雾掩盖着，什么都看不到。偶尔传来一声诡异的吼叫声，隐约地在空气里回响。"

"神音倒在地面上，转过头，看着视线尽头的那个黄金湖泊。过了一会儿，她贴着地面的耳朵就感觉到了来自大地深处的轰鸣，一阵由弱渐强的震动。金色的湖面突然划破宁静，几圈涟漪在平滑如镜的水面上一闪即逝，然后在下一个瞬间，湖面突然高高隆起，一个巨大的水花爆炸开来，漫天金黄色的雨，而金黄色的雨滴里，是从湖底重生而出的幽冥。"

地理位置：亚斯蓝的北部，是个险峻的大峡谷，在【心脏】的正上方，因为拥有一枚【黄金瞳孔】，所以形成了【黄金魂雾】浓度高到可以凝固为液体的黄金湖泊。黄金湖泊在峡谷底部平坦之处，峡谷有洞口通往【深渊回廊·北之森】，整个亚斯蓝帝国的最北部的一片森林。

相关剧情：黄金湖泊再生了幽冥的断臂，再生了神音的断手，再生了无数高级魂兽，却没能再生【白银祭司】的肉身和灵魂；临死前他并没有把秘密说完，没关系，那些秘密总会有人知道。【北之森】里，十二年前，漆拉带着鹿觉第一次与幽冥和特蕾娅相遇，【铜雀】被灭；四年前，吉尔伽美什为救亚斯蓝陷入圈套，与【宽恕】和【自由】对峙，这里自始至终都是个混战之地。

尤图尔遗迹

"尤图尔遗迹历来就是一个收纳亡灵的古城，虽然白银祭司从来没有告诉过我们，到底是一种什么力量维持着死去的亡灵在这个遗迹的范围内可以持续存活而不会消散，但是我们都知道，这些成千上万的亡灵，驻扎在这里，是为了守护一个秘密。尽管我们不知道这个秘密是什么。"

地理位置：【魂塚】的正下方，原本可以通过【魂塚】的一枚【棋子】到达，【棋子】失效后，需要穿过【魂塚】底部的魂兽【祝福】方可到达。

相关剧情：自从【黄金瞳孔】被挪走，这里变成了一座罪恶之城；可怕扭曲的【骨蝶】莉吉尔，漫天漫地的孤魂幽灵藏身之险境，如果不是漆拉及时出现，麒零等人能活下来吗？可是这里也是格兰仕有可能还活着的唯一证明。在所有的幽灵都被杀戮清空了之后，银尘能在这里找到格兰仕吗？这漫长的战役才刚刚开始，很快银尘就会知道，他的【王爵】就在这座城下等着他。

雷恩海域·永生之岛

"黑色的岩石仿佛巨大怪兽的牙齿，错乱而锋利地沿着海岸线突兀耸立。

巨大的暴风撞击着大海，掀起黑色巨浪，轰然拍碎在岩石上，变成四散激射的混浊泡沫。"

"鬼山缝魂没有说话，而是轻轻地扬起了自己的手，他在空气里朝地面上用手划出一道弧度，仿佛一把无形的刀刃一般，地面爆炸出一道被刀砍出的裂缝来，黑色的碎石四散激射。'你看地面裂缝的深处。'鬼山缝魂指着刚刚爆炸出来的裂缝说。

破裂的岩石缝里，此刻正汩汩地浸染出黑红色的血液来。仿佛是地下的泉水一般，缓慢地涌动着。同时，血液在不断地凝固，那些爆炸开的石块又缓慢地重新合拢、归位，如同人体肌肤的伤口一般愈合了起来。"

地理位置：位于雷恩海域的北部，【魂塚】的正上方，通过海底一个洞穴与【魂塚】连接，也是囚禁吉尔伽美什的三道封锁线中最强的一道。

相关剧情：【永生王爵】西流尔到底是在用身体守护一个怎样庞大的秘密呢？那个秘密，到底是吉尔伽美什被囚禁的真正原因，还是【白银祭司】的其他阴谋？七年前，在这个岛上的那场【王爵】之战，相信所有在场并活下来的人都无法忘记；七年后，西流尔舍生取义，鬼山莲泉诞生为【双身女爵】，她和银尘一起逃走了，他们真的能救出吉尔伽美什吗？

❧ 雾隐绿岛 ❧

"雾隐绿岛其实是整个雾隐湖上的群岛的总称。

整个雾隐湖的范围，都是吉尔伽美什的领地。他和他的三个使徒居住在这里，平时几乎不会有人来访。

雾隐湖位于亚斯蓝帝国的中心位置，地理位置上，处于南北两极的正中间，所以，这里一年四季的气候都温暖如春，整个湖上大大小小的岛屿星罗棋布，每个岛上都长满了茂密的参天大树，浓郁欲滴的绿色仿佛终年不散的雾气一样，湿漉漉地笼罩着分布在各个岛屿上的白色大理石宫殿。在湖心最大的那个岛上，有一座最大的行宫，那是亚斯蓝最高王爵吉尔伽美什的住所。"

地理位置：【雾隐湖】位于亚斯蓝的中心位置，帝都的南部，整个【雾隐湖】上的所有小岛都叫【雾隐绿岛】。

相关剧情：吉尔伽美什带着东赫、格兰仕、银尘三人在岛上两年的生活，就好像是留在悲惨回忆中的美好时光，教银尘想起来就难以抑制地难过；东赫死亡，格兰仕化身【饕餮】而后失踪，吉尔伽美什被囚，为什么要让银尘一个人带着记忆复活？从特雷娅到来的那天起，他们就被命运撕扯开来，开始在天涯海角孤军奋战，这些岛屿早就已经空无人烟了吧。

❧ 褐合镇 ❧

"吉尔伽美什，以及地、海二使，此次召集你们来这的原因，是告诉你们，天之使徒的人选已经找到，请尽快前往，将其带回心脏，进行赐印。"

"好的，尊贵的白银祭司。这一次，使徒出现的地方是在哪儿？"吉尔伽美什低着头，礼貌但平静地询问道。

"东方边境之镇，【褐合镇】，他的名字叫银尘，是一个十七岁的少年。"水晶里的男子，声音模糊低沉。

地理位置：蛮荒边境，远离亚斯蓝魂力的中心，并且同时接壤风源和火源两个帝国，魂力元素复杂；几乎是被火源帝国的人占领着，经常和风源以及水源发生边境冲突问题。

相关剧情：这里是银尘首次出现的地方，那年他十七岁，被【白银祭司】挑选中，因为，作为【一度王爵】吉尔伽美什的【天之使徒】，他的身体构造是最接近吉尔伽美什的。而谁又知道，诞生在这里的银尘与火源和风源有着什么样的联系呢？也许，他就是为了【四象极限】而生的，又或者只是一个巧合而已。

❧ 天格外部·荒野雪原 ❧

"特蕾娅将幽冥送到城堡之外，巨大的荒野，翻涌着漫天漫地的雪花，仿佛和她的瞳孔一样。她想到，当初的自己和幽冥，走出那个猩红闷热的洞穴时，迎面而来的，就是这样冷漠无情、无边无际的天地。"

"特蕾娅裹紧了黑貂毛的长袍，看了看站立在雪白大地上的幽冥，他漆黑的战袍将他包裹得仿佛一道闪电，他赤裸的胸膛在风雪碎片里，闪烁着动人的光芒和力量。"

地理位置：特蕾娅的宫殿位于亚斯蓝北部，尚未到达【极北之地】的陆地上，【天格】就处在宫殿内部，而荒野雪原是处在宫殿以北的一大片平原。

相关剧情：讲完《风水禁言录》的秘密，特蕾娅在这里送幽冥；亚斯蓝的魂术师们至此已分为四个格局，前三个分别以吉尔伽美什、【白银祭司】、【冰帝】艾欧斯为首，最后一个是她自己。为求自保，她希望幽冥能与自己站在一起，而一直以来都桀骜不驯的幽冥自始至终在乎的又究竟是什么呢？

❧ 极北之地·凝腥洞穴 ❧

眼前是一片空旷广阔的雪原，地面上铺满了厚厚的积雪，仿佛柔软的云层。目光的尽头，是拔地而起的黑色山崖，山崖往前延伸，逐渐集拢，形成一个巨大的黑色峡谷，峡谷的尽头，是一个森然漆黑的洞穴。

这就是每一代侵蚀者诞生的地方——【凝腥洞穴】。

地理位置：位于【西之亚斯蓝帝国】平原最北部的一个峡谷底部。

相关剧情：幽冥和特蕾娅并肩战斗过的地方，也是他们找到神音和霓虹的地方；他们对此有着特殊的亲近和厌恶感，以及恐惧。在这里能存活下来的【侵蚀者】都是最阴森恐怖的，也是最强大的；他们都是被制造出来的，他们杀死了许多的劣质品，而最终也会被当做劣质品杀死吗？

❧ 阿切特拉市 ❧

当艾欧斯眼前的视线再度凝聚之后，他看清楚了面前的情景，吓得什么都说不出来。躺在他面前地面上的漆拉，浑身无数道伤口，仿佛被看不见的成千上万把刀刃旋转切割了一样。汩汩的鲜血流在大地上，他昏迷不醒。艾欧斯抬起头，不知道自己在什么地方。看起来像是在一条后街的小巷子里，地面是黑色的石板路，两边是房屋的石墙，看起来像是后门。

而漆拉的手边，是一个包裹在华丽锦缎里的婴儿。他的眼睛闭着，仿佛在熟睡。没有哭闹，也没有动作，甚至看起来像是没有呼吸。

地理位置：城市，位于亚斯蓝北部，离【极北之地】很近，盛产瓷器器皿。

相关剧情：很多年以前，那时漆拉是亚斯蓝的【一度王爵】，并且一做就是许多年。他将【冰帝】艾欧斯一手带大，曾经有一次，艾欧斯独自跑到风源边界处去，被他寻回来，就暂时安置在阿切特拉市里的客栈。然后，他又将唯一的那个【完美容器】从风源偷回来，也带到这里，并遭到了铂伊司和西鲁芙的追杀。那个【完美容器】是一个脚上有刺青的婴儿，艾欧斯趁漆拉昏迷，将他放进了一个陌生的马车后箱中，随着马车运送到了福泽镇上。

∽ 地理档案簿 ∽

01 | 心脏

皇室帝王居住的中心。首次出现在第一章。

02 | 预言之源

帝都真正的中心，【心脏】的地底，【白银祭司】所在之处。首次出现在第一章。

03 | 天格

【四度王爵】特蕾娅在全国建立起来的、由无数信使们组成的机构，用来传递【白银祭司】发布的各种信息。这些对全国传递的讯息里，最基本的叫做【绿讯】，是国内所有的魂术师都可以知晓的；而带有杀戮色彩的讯息，比如对某个叛乱魂术世家的讨伐，或者对亚斯蓝领土上带有恶意的国外魂术师们的猎杀，都称为【红讯】；而所有讯息里级别最高的一种，只限在【王爵】和【使徒】中传达的，叫做【白讯】。首次出现在第四章，详细解释可见第六章。

04 | 魂塚

在雷恩海域下的一处深海洞穴，这个巨大的洞穴从远古以来就存在着，它就像是一个孕育【魂器】的巨大母体，无数强力的【魂器】都像是有生命般从它的岩壁洞穴里生长出来。只有【使徒】才有资格进入【魂塚】去摘取自己的【魂器】，并且，一旦【使徒】进入过【魂塚】一次，无论是否成功地拿到了强力的【魂器】，他此生永远都不能再次进入【魂塚】了。首次出现在第二章。

05 | 棋子

是被施以了魂力的一种【传送之阵】，通过凝固在物体上的封印，打通连接两个地方的时空。它分布在奥汀大陆上的各个地方。除了【白银祭司】之外，漆拉拥有制造棋子的【天赋】，但制造【棋子】有一个限制，【棋子】只能通往制造者去过的地方，制造者没有去过的地方，是不能制作出【棋子】直接到达的。首次出现在第三章。

06 | 风津道

在北方因德帝国境内的极北边陲，几乎已经接近大陆的北之尽头，是高耸入云的因德帝国境内最高的两座山脉，山脉中间有一条峡谷，是整个风源领域上，风元素最强大的地带。是【一度风爵】铂伊司常年居住的地方。首次出现在第二十一章。

07 | 深渊回廊

位于【西之亚斯蓝帝国】内部的巨大峡谷，聚集着无数的高等级魂兽。首次出现在第四章，关于其形成的详细原因可见第二十四章。

08 | 黄金湖泊

【深渊回廊】范围内【黄金魂雾】浓度最高的地方，作为一个完全由【黄金魂雾】凝聚成的金色湖泊存在，无数翻涌的魂力以液态的形式聚集在那里。首次出现在第五章，关于其形成的详细原因可见第二十四章。

09 | 幽碧峡谷

银尘记忆中的地方。他和格兰仕同时摔下山谷，格兰仕死死抓住他，如果不是东赫驾驭着【雪雁】及时飞来营救，两人都会死在长满【紫色人面裂齿长藤】的山谷底部。首次出现在第十八章。

10 | 尤图尔遗迹

【尤图尔城】原本是一座地上城，繁华程度堪比格兰尔特，它是一枚【黄金瞳孔】的埋藏之处。后来由于【白银祭司】挪走了【黄金瞳孔】而将此城转移到【魂塚】的下方，作为一个收纳亡灵的古城，成千上万的亡灵，驻扎在这里，是为了制造守护【黄金瞳孔】的假象。事实上也是囚禁吉尔伽美什的三道封锁之一，位于【魂塚】的正下方，【囚禁之地】的正上方，与【囚禁之地】通过一个祭坛连接。首次出现在第七章，详细解释可见第二十一章。

11 | 囚禁之地

囚禁吉尔伽美什之地，位于【永生之岛】、【魂塚】和【尤图尔遗迹】的正下方。首次出现在第十五章。

12 | 原浆洞穴

位于【心脏】的地下，通过一个峡谷可以到达的山洞，【浆芝】的所在地。在此无法使用魂力、魂术和魂兽。首次出现在第二十三章。

13 | 凝腥洞穴

是水源亚斯蓝和风源因德帝国共同建造的一个洞穴。两个帝国各自贡献了一枚【黄金瞳孔】，一共两枚，共同放在洞穴里，从而产生最强大的【黄金魂雾】源泉，用来制造【完美容器】，所以这里是所有【侵蚀者】的出生地。首次出现在第十六章。

〜 头衔档案簿 〜

01 | 白银祭司

被三块巨大水晶包裹在【预言之源】的地板上的，有意识的生命体。【王爵】和【使徒】的任命者，同样也有权将其降职、免职、以及杀戮。【红讯】、【绿讯】和【白讯】的下达者。奥汀大陆上的四个国家，每个国家都有三个【白银祭司】，一共十二个【白银祭司】。他们和我们其实是来自不同的世界的，你可以理解为，他们来自神界，他们也是这样称呼自己的——十二天神。他们十二个，分别是智慧之神、力量之神、海洋之神、天空之神、大地之神、火焰之神、梦境之神、死亡之神、生命之神、时间之神、光明之神、黑暗之神。而【白银祭司】的真实身份，是被他们自己原本国家流放到这个世界的，罪大恶极的十二个恶魔；他们被囚禁在水晶深处，没有人身自由。首次出现在第一章，详细解释可见第十五章及第二十四章。

02 | 王爵

魂力世界中除【白银祭司】外，魂术级别最高的人。在整个【西之亚斯蓝帝国】中共有七名【王爵】，以【一度王爵】为首，魂力依次降序排列；前三度【王爵】与后四度【王爵】的魂力级别相差很大。首次出现在第一章。

03 | 使徒

魂术级别仅次于七位【王爵】的人。除【一度王爵】可拥有三位【使徒】外，其余每位【王爵】对应一位【使徒】，【王爵】及其对应的【使徒】拥有相同的【天赋】以及【魂印】位置，并可相互感知。【王爵】死后，由其【使徒】接替位置，成为新一代的【王爵】。首次出现在第一章。

04 | 一度王爵

【西之亚斯蓝帝国】魂力最强的【王爵】。其拥有三位【使徒】，分别是【海之使徒】雾涅尔，【地之使徒】米迦勒，还有就是【天之使徒】路西法。【天之使徒】路西法还有一个名称叫做【大天使】。首次出现在第一章。

05 | 大天使

【天之使徒】路西法。首次出现在第六章。

06 | 杀戮王爵

由【二度王爵】幽冥担任，负责杀戮背叛了国家或【白银祭司】的【王爵】及其【使徒】。【杀戮王爵】的【使徒】叫【杀戮使徒】，目前是神音。首次出现在第二章。

07 | 永生王爵

指【六度王爵】西流尔,【天赋】是【永生】,表现为接近永生的重生与恢复的能力,无论是在【黄金魂雾】浓度多么低的地方,他们的愈合与新生速度,都接近一种让人害怕的极限。他们制作出来的【阵】,可以让待在里面的人和他们一样,具有超卓的重生和愈合力量。首次出现在第七章。

08 | 零度王爵

曾经被制造出的一个【完美容器】,在刚刚制造出来,还没有种植任何的灵魂回路的时候丢失了,因为身体也没有任何的魂力感应,所以无法追踪无法查询。首次出现在第二十四章,在书的尾声中有交代【零度王爵】的真实身份。

09 | 冰帝

现在统治亚斯蓝的皇帝艾欧斯,传说中他的能力和【一度王爵】修川地藏是并驾齐驱的,灵魂回路和【王爵】们不同,是非常罕见甚至无法想象的灵魂回路。首次出现在第十四章。

10 | 冰帝使

【冰帝】专用的使节。首次出现在第二十章。

11 | 风后

现在统治因德帝国的皇后西鲁芙,在风源帝国的地位相当于水源帝国的【冰帝】。首次出现在尾声。

12 | 风爵、水爵和地爵

分别是风源、水源和地源国家的【王爵】。首次出现在第九章。

13 | 侵蚀者

所谓的【侵蚀者】,其实和被【赐印】的【使徒】在基本性质上是一样的,【使徒】是被【王爵】赐予与【王爵】相同的灵魂回路,而【侵蚀者】是从出生就在身体里被种植了各种灵魂回路的试验品。每一代的【侵蚀者】有几百个,有些因为体内种植下的灵魂回路并不完善而死亡,有些因为灵魂回路太过变态和黑暗而死亡。【侵蚀者】身体里的灵魂回路,是亚斯蓝领域上,从来都没有出现过的、崭新的回路,所以,【侵蚀者】的力量和【天赋】,都和以前的【王爵】不一样。【侵蚀者】的使命,就是对【王爵】的杀戮,维持七个【王爵】的魂力永远都是亚斯蓝的巅峰;而事实上,【侵蚀者】也是【白银祭司】在制造【完美容器】过程中的失败品。首次出现在第九章。

～ 魂术档案簿 ～

01 | 魂术

魂术的本质，就是对蕴藏在身体里的魂力的运用。世界上有成千上万种魂力的运行方式，而目前的七个【王爵】使用的魂术，是【西之亚斯蓝帝国】里最强的七种运魂方式。首次出现在第一章。

02 | 魂器

不是普通意义上的兵器，它只产生于【魂塚】里面。它和魂术师的身体一样，具有容纳魂兽的力量，所以，拥有【魂器】的人，其实等于拥有两只魂兽。但是只有【使徒】才有资格进入【魂塚】去摘取自己的【魂器】。【魂器】也是需要

鬼山缝魂的魂器——巨剑

寄居在魂术师的身体内部才能恢复魂力。首次出现在第三章。

03 | 魂兽

因为长时间生存在【黄金魂雾】的环境下而产生了魂力的野兽，【黄金魂雾】越浓的地方产生的魂兽级别越高，魂术师可以捕获魂兽以使它被自己魂力驾驭，无论是对敌作战还是差遣它去做别的事情，都会有很多帮助，简单地说，可以把魂兽当做武器，与【魂器】作用基本相同。首次出现在第一章。

04 | 阵

【王爵】和【使徒】身体里灵魂回路的一种外在表现形式。在战斗的时候，或者说需要大量魂力消耗的时候，他们会在自己的周围释放出【阵】来，理论上来说，就是在身体的外部，复制出另外一套灵魂回路。当他们身处【阵】的范围之内时，魂力流动会和【阵】的回路相呼应，从而让魂力和【天赋】都会得到几何倍数的增长。【阵】的使用需要拥有非常多的匹配魂力属性的介质才能制作成功。首次出现在第五章，详细解释可见第八章。

05 | 时间之阵

漆拉制造出来的【阵】。通过时间的穿越，使那个空间之内的时间变慢，从而减慢对手的速度。如果不能提前感受到他魂力的流动，知道他的进攻方式和速度，就会还来不及释放魂力，直接被困进这个【阵】里。首次出现在第九章。

06 | 爵印

所有的魂术师身上，都会有一个印记，这个印记根据每个人使用的魂术不同，会出现在身体不同的位置上，也会有不同的形状。而【王爵】和他的【使徒】身上的这个印记，被称为【爵印】；【王爵】和自己【使徒】身上的【爵印】是一模一样的，也在同样的位置。首次出现在第二章。

07 | 赐印

【王爵】把【使徒】寻找到之后，带回帝都格兰尔特，赐予【使徒】【爵印】的仪式，叫做【赐印】。首次出现在第二章。

08 | 希斯雅果实

一种叫做"希斯雅"的树木的果实。"希斯雅"是亚斯蓝传说中的光明女神，这种以她的名字命名的果实，传说中是女神的眼睛。它的果汁滴在眼睛里可以使人看见【黄金魂雾】。首次出现在第五章。

09 | 黄金魂雾

是魂力的物质体现。魂力弥漫在这个世界上的每一个地方，区别只在于浓度。平时【黄金魂雾】都是看不见的，只有用"希斯雅"果实的汁液洗过的瞳孔才能看见。【黄金魂雾】的来源关系到整个大陆魂力的根本。任何的人或兽，如果长期处于高浓度的【黄金魂雾】之中，那么，一定会产生异变。这种异变会随着【黄金魂雾】通过呼吸、渗透、肌肤附着等方式进入人的身体而日渐发生。【黄金魂雾】在体内不断流动，就会慢慢地形成各种魂力回路，在身体上产生金色刻纹。首次出现在第五章。

10 | 黄金瞳孔

等于是所有【黄金魂雾】的源泉，整个大陆上一共散布着十二枚，其实最初是【白银祭司】身体里一个重要的器官，镶嵌在他们的额头正中。但是在流放的过程里，【白银祭司】的肉身毁灭了，所以十二枚【黄金瞳孔】也就坠落在了整个大陆的各个角落。从那个时候起，无穷无尽的【黄金魂雾】，就从这十二枚【黄金瞳孔】里扩散出来，覆盖了整个大陆。详细解释可见第二十四章。

11 | 吞噬

　每一个魂术师在捕捉魂兽的时候，等到魂兽已经濒临死亡、身受重创、它们的魂力处于最低水平的时候，释放出自己的魂魄，将魂兽吞噬。如果自身魂力无法战胜魂兽，就会被魂兽反吞噬而丧命。首次出现在第一章。

12 | 愈合

魂术师们在【黄金魂雾】的作用下恢复和补充魂力的一种能力，【黄金魂雾】浓度越高，愈合的速度就越快。首次出现在第五章。

13 | 瞬杀

如果两个人的魂力级别相差太远，近乎于压倒性的优势的话，那么强势的一边可以完全压抑对方的魂力使之无法释放，而在一瞬间就能杀死对方。首次出现在第一章。

14 | 黑暗状态

就是不将魂兽释放到体外，而是直接将魂兽释放到身体内部，让魂兽和自己融为一体进行战斗的邪恶魂术。一般情况下被禁止使用，一旦使用，无论力量还是魂术级别都会瞬间提高数百倍，以至于使用此状态的魂术师本人都无法控制自己，最终会变成怪物毁灭世界和自我毁灭。从正常状态转化为【黑暗状态】的过程叫做【暗化】，而【暗化】后的个体，叫做【黑暗体】。首次出现在第五章，详细解释可见第二十章。

名词解释

～ 天赋档案簿 ～

01 | 天赋

每个【王爵】和【使徒】身上具有的灵魂回路是不一样的，而每种灵魂回路除了都能产生巨大魂力的作用之外，独特的刻纹会带给他们独特的能力，这种能力就叫做【天赋】。首次出现在第六章。

02 | 摄魂

【冰帝】艾欧斯独一无二的【天赋】，具体表现书中尚未提到，可能是一种可以捕捉和复制人的整个灵魂和记忆的一种能力。这个能力曾使死去的银尘带着记忆和灵魂回路复活。首次出现在第二十三章。

03 | 四象极限

曾经的【一度王爵】吉尔伽美什以及他的三个【使徒】所共有的【天赋】，表现为可以使用和操控所有的元素。首次出现在第十八章。

04 | 精神浸染和进化

【二度使徒】神音在还是【侵蚀者】的时候，曾以两个连体初生幼童的形态出现；她们共享一根脊髓，也共享一个【魂印】，却具有不同的灵魂回路，这也产生了两种截然不同的【天赋】。其中一个的【天赋】是【精神浸染】，表现为体内能发出一种无法听见的声音，将人的脑海里的平衡感和理智打破，能让人感受到她营造出的极大的恐怖和恶心感，最终将人引导至精神错乱、失去理智，最终暴乱发狂。另一个的【天赋】是【进化】，表现为将自身受到的伤害，转化为魂力，能通过不断受到的来自敌人的攻击伤害，而不断完善自身的灵魂回路，从而让自己的魂力不断攀升；而且，攻击的敌人越厉害，所取得的飞跃就越大。只要不被当场击毙，那么恢复之后，魂力都会比之前深厚。最终幽冥选择了与自己具有相同功能的具有【进化】【天赋】的女童神音，而舍弃了【精神浸染】，但【精神浸染】后来被【四度王爵】特蕾娅学会。首次出现在第十七章，详细解释可参见第二十四章。

05 | 制造棋子

【三度王爵】漆拉的【天赋】，制造【棋子】只是一种表现形式。这种【天赋】，准确地来形容，应该是对时间空间的一种超越极限的控制，从某种意义上来说，他的速度是没有极限的，他可以任意穿越空间，甚至穿越短暂的时间。制造【棋子】有一个限制，【棋子】只能通往制造者去过的地方，制造者没有去过的地方，是不能制作出【棋子】直接到达的。首次出现在第八章。

06 | 无限魂器同调

银尘和麒零的【天赋】。就是用他们自己的魂力方式去影响其他【魂器】，让其他的【魂器】能够被他们自由地使用。把任何的【魂器】都变成他们的魂力方式可以控制的武器。这种【天赋】也等于【无限魂兽同调】。首次出现在第八章。

07 | 魂力感知

【四度王爵】特蕾娅的【天赋】，表现为极其精准的魂力感知，这种感知能力甚至能从对手最细微的魂力流动里，知道其力量的弱点和优势，也能从千里之外，感应到不同的人的魂力变化，这等于是一种很让人害怕的预知能力。与【精神浸染】同属于精神层面的【天赋】。首次出现在第六章。

08 | 催眠魂兽

【五度王爵】和【五度使徒】共有的【天赋】，曾为伊莲娜、鬼山缝魂和鬼山莲泉所拥有，表现为大面积的魂兽控制，能够催眠蛊惑一整个领域内的魂兽，以改变其行动或者减慢其攻击速度。首次出现在第六章。

09 | 永生

【六度王爵】西流尔的【天赋】，表现为接近永生的重生与恢复的能力，无论是在【黄金魂雾】浓度多么低的地方，他们的愈合与新生速度，都接近一种让人害怕的极限。他们制作出来的【阵】，可以让待在里面的人和他们一样，具有超卓的重生和愈合力量。西流尔【赐印】给妻子而通过其母体传给【六度使徒】天束幽花；而在他死亡的时候，又将爵位传给当时的【五度使徒】鬼山莲泉，使她也获得此【天赋】。首次出现在第六章。

10 | 无感

【四度使徒】霓虹的【天赋】，对痛觉无感，对恐惧无感，对疲惫无感，对死亡无感，对防御求生本能的丧失；拥有这种【天赋】的人，是一个不知道痛、不知道害怕、不畏惧任何对手、只知道斩杀一切的完美的机器，在战斗的时候可以将魂力维持在百分之百的巅峰状态，在任何时候，都能将自己的魂力激荡到百分之百的程度，这是一种足以摧毁一切的力量。首次出现在第十二章。

～ 其他档案簿 ～

01 | 战神的号角

【铜雀】的鸣叫声。作为拥有【铜雀】的魂术师，这种鸣叫会激荡起其灵魂回路里的魂力冲击【魂印】，从而让魂兽和魂术师自己的魂力都能得到暂时性的飞跃。首次出现在第九章。

02 | 浆芝

人头虫身的女体，可以分娩出"高级容器"的生物，属于半植物半动物属性，身体的外形兼具女性和昆虫的特点；没有思想，只有生殖的功能。能够将种植进她母体内的肉体碎片，复制孕育出和提供肉体碎片的原体一样的复制品，提供的肉体碎片越多越完整，越能复制得近乎百分百相同。首次出现在第二十三章。

03 | 风水禁言录

水源亚斯蓝帝国在二十七年前和风源因德帝国秘密签署的一份合约。首次出现和详细解释在第二十三章。

04 | 完美容器

【凝腥洞穴】和【原浆洞穴】存在的最终目的，就是制造【完美容器】，一个可以将【黄金瞳孔】以及【白银祭司】的邪恶灵魂同时容纳和存放的人体；所有的【侵蚀者】较【完美容器】来说都是失败品。详细解释可参见第二十四章。

05 | 能力属性

【白银祭司】拥有【西之亚斯蓝帝国】最强大的魂力，但其魂力深受地域限制。
他们的力量只有在【心脏】深处才能永恒存在，如果脱离此处，其能力则无法恢复，使用一次则被消耗一次，直至消亡。
但只要他们在【心脏】，便能感知【西之亚斯蓝帝国】的一切事态发生。拥有强大的杀戮天赋、感知天赋、预言天赋，和治愈他人的恢复天赋。

06 | 讯

亚斯蓝领土上出现的各种各样关于魂术世界的讯息，都是【白银祭司】发布的。比如什么地方在什么时候会有高级魂兽出现，或者什么地方出现了大面积的魂兽暴乱，等等。各种讯息都会通过【四度王爵】来向全国传递，而【四度王爵】在全国建立起来的、由无数信使们组成的机构叫做【天格】。

这些讯息中，最基本的【绿讯】是指国内所有的魂术师都可以知晓的讯息。

带有杀戮色彩的讯息，比如对某个叛乱魂术世家的讨伐，或者对亚斯蓝领土上带有恶意的国外魂术师们的猎杀，都称为【红讯】。

所有讯息里级别最高的一种，只限在【王爵】和【使徒】中传达的，叫做【白讯】。

07 | 所发布的几次命令

1.命令银尘去寻找自己的【使徒】麒零。（第一章　第三个红点）

2.发布【白讯】给各【王爵】、【使徒】（包括鬼山缝魂、银尘、鬼山莲泉、天束幽花），让他们去【魂塚】拿取刚刚诞生的强力【魂器】【回生锁链】。（第六章　大天使）

3.【白银祭司】同时下达了对银尘、漆拉、鬼山缝魂、鬼山莲泉、麒零、天束幽花六个人的杀戮【红讯】。（第八章　遥远的血光）

4.七年前，向幽冥、特蕾娅下达【讯】，将漆拉降级为【第三王爵】，并且杀死漆拉原本的【地之使徒】藏河和【海之使徒】束海。（第十章　噬魂兽）

5.四年前，向漆拉、伊莲娜、幽冥、费雷尔下达【讯】，协助吉尔伽美什捕捉【自由】或者【宽恕】，成为他的【第一魂兽】。（第十八章　闇之骑士）

6.四年前，下达【红讯】，杀死【一度王爵】吉尔伽美什和他的三个【使徒】。（第十五章　人狱）

7.因为【冰帝】失踪，召唤所有【王爵】【使徒】至格兰尔特。（第二十章　零尘诀）

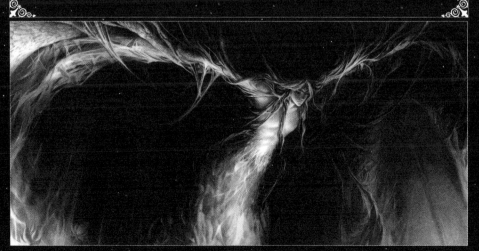

CRITICAL

第二章
角 色 篇

整个魂术世界最巅峰的七个人被称做王爵。奥汀大陆被分为四个国家，每个国家都有七位王爵，并且只有七位。只有老的王爵死亡或者自动放弃王爵的身份了，才会有新的人成为王爵替补上去。王爵不会变多，也不会变少，永远都只有七个。王爵按照魂力有所区别，从第七度王爵到第一度王爵，魂力越来越强。

[人物档案馆]

白银祭司

　　每个国家都有三个白银祭司，一共十二个白银祭司。他们和"临界·爵迹"世界的人来自不同的世界，可以理解为，他们来自神界，他们也是这样称呼自己的——十二个天神。他们十二个，分别是智慧之神、力量之神、海洋之神、天空之神、大地之神、火焰之神、梦境之神、死亡之神、生命之神、时间之神、光明之神、黑暗之神。他们各自拥有属于自己的十二把佩剑，每一把佩剑都拥有属于它们各自的力量。

　　西之亚斯蓝帝国共有三位白银祭司。其中，两位男祭司，一位女祭司。他们三人有着孩子般的面容，一直在帝都格兰尔特的心脏的最深处——预言之源里。他们三个仰面躺在大殿地面的中心，仿佛自心脏被建筑时便被铸造在内部，彼此的头对立在一起，形成一个三棱的花纹。三位祭司在心脏观察西之亚斯蓝帝国的动态，并向王爵们发布讯息。

　　据特蕾娅称，也许白银祭司并非天神，而是被囚禁在水晶棺材中的十二位恶魔。华贵的外表只是寄放他们被囚禁的灵魂的容器。整个大陆的魂力争夺，乃至王爵、使徒的存在，都因为他们不可告人的真面目以及私心。

　　但真正的真相，仍没有人知道。

艾欧斯

基本信息

封号：冰帝	生日：01月02日
性别：男	星座：摩羯座
身高：190CM	血型：O型
体重：75KG	天赋：摄魂
年龄：24岁	

能力参数
PARAMETER

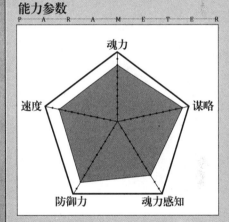

身份 亚斯蓝帝国的统治者，拥有与一度王爵力量相当的魂力。

经历 是皇室之中唯一与王爵魂力相当者，但他们自身的回路与王爵很不一样。身怀秘密。曾在三年前的恶战中救下银尘。目前无故失踪，惊动了众王爵寻找他。在他的房间里，发现了有风元素魂术使用残留下的痕迹。

修川地藏

基本信息

爵名：未知	生日：未知
性别：男	星座：未知
身高：179CM	血型：未知
体重：60KG	魂器：未知
年龄：未知	

能力参数

PARAMETER

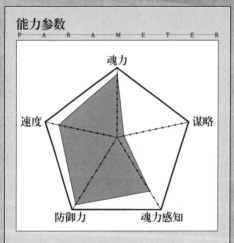

魂力
谋略
魂力感知
防御力
速度

魂印：

人物全景图：

侧面视觉图（1）

侧面视觉图（2）

正面视觉图

回路 窒息：能够瞬间掠夺攫取极大范围内的全部黄金魂雾，顷刻间形成魂雾真空，从而令对手无法持续作战，而自身却拥有源源不断的黄金魂雾源泉供应。

魂兽 **未知**
力量级别：未知

喜好 未知

性格 没有灵魂。被白银祭司复制而生，有着银尘的面容。对白银祭司绝对忠诚，类似杀人机器，是专门研发出来的用于屠杀的终极王爵。

特殊能力 **窒息**

个人信条 绝对执行白银祭司的命令。

人际组成 四胞胎，其另外三兄弟都是使徒。

幽冥

基本信息

爵名：杀戮王爵	生日：11月04日
性别：男	星座：天蝎座
身高：184CM	血型：O型
体重：64KG	魂器：死灵镜面
年龄：25岁	

能力参数
P A R A M E T E R

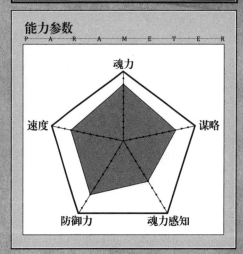

魂印：

物全景图：

正面视觉图

侧面视觉图

背面视觉图

回路 侵蚀者。其天赋是依靠摧毁魂兽和魂术师们的魂印，将对方的灵魂回路吸收到自己体内而不断强大自己的灵魂回路，达到更加强大的魂力巅峰。

魂兽 诸神黄昏
力量级别：顶级（上古四大魂兽之一）

喜好 杀戮。想接到各种杀掉王爵与使徒的红讯。对各种力量有极端的追求。

性格 作为侵蚀者，他骄傲且邪恶，心狠手辣。拥有犹如深渊一般深不可测的恐怖攻击力，以及如深渊一般黑暗得无法捕捉的内心。与特蕾娅为同一拨侵蚀者，曾经一同利用彼此天赋配合生存下来，有着良好的搭档关系，甚至因此产生了更为暧昧的情愫。

特殊能力 擅长吸收灵魂回路。

个人信条 能令我停止杀戮的，唯有杀死我，或者被我杀死。

人际组成 好友——特蕾娅。

幽冥语录

"如果有一天，能够接到杀你的【红讯】，那将是我一生最大的快乐。我会一滴一滴品尝你鲜血的味道的，我最爱的大天使。"

（第六章 大天使）

漆拉

基本信息

爵名：未知	生日：03月25日
性别：男	星座：白羊座
身高：186CM	血型：AB型
体重：67KG	魂器：未知
年龄：33岁	

能力参数

PARAMETER

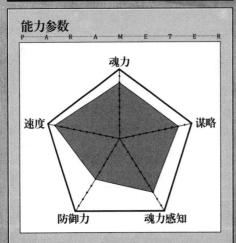

魂力

速度　　　　　　谋略

防御力　　　魂力感知

魂印：

人物全景图：

正面视觉图

侧面视觉图

背面视觉图

回路	其天赋是对空间超越极限的控制，可以制作出棋子（可任意穿越时间、空间的媒介）。
魂兽	**未知** 力量级别：未知
喜好	结交值得交的朋友（比如吉尔伽美什）。
性格	拥有比女性还要精致的美貌，拥有如神一般高贵的气质。生性幽默、温和、亲切，曾是一度王爵，但其实是很好打交道的人。因为待人宽厚和能力卓越，一度让世人对其臣服。
特殊能力	**擅长精确地控制魂力。** 有对空间卓越的控制力，因而他是唯一一个可以在亚斯蓝领域里任何一个地方制作阵的人。
个人信条	魂力的使用是一门艺术。
人际组成	使徒——鹿觉

漆拉语录

"我会这么做，完全是因为上代一度王爵吉尔伽美什的关系。我欠他的太多了……估计此生也还不了了，所以，作为他曾经的天之使徒路西法，我把这份人情还给你。这样，我就和吉尔伽美什再无瓜葛了。"

（第八章　遥远的血光）

特蕾娅

基本信息

爵名：未知	生日：11月02日
性别：女	星座：天蝎座
身高：166CM	血型：B型
体重：49KG	魂器：女神的裙摆
年龄：24岁	

能力参数
PARAMETER

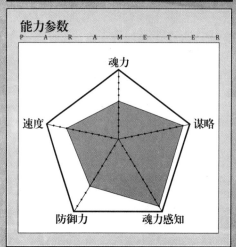

魂力
谋略
魂力感知
防御力
速度

魂印：

物全景图：

正面视觉图

侧面视觉图

背面视觉图

回路　魂印在左边大腿的内侧。天赋是极其精准的魂力感知，甚至能从对方的魂力流动里感知到对方的弱点和优势，甚至预先判定进攻方向和隐藏杀机。

魂兽　未知
力量级别：未知

喜好　胜利的快感。漂亮的衣服。

性格　傲慢凶狠的"侵蚀者"出身，是王爵中少见的女爵。外貌性感而手腕狠毒。因为出身于极端环境，所以对"弱肉强食"有着深刻理解。作为一个女爵，她有着阴柔优雅的一面，但她只是伪装在这一面之内，为了窥得"力量"的"弱点"。因为其天赋的缘故，现为天格负责人，负责传递白银祭司发出的各种讯。

特殊能力　魂力感知
对魂力的感应和捕捉在同类之中非常出色，甚至能同时感觉到千里之外不同地点的魂力变化。但自身的攻击力不足。后来通过机缘巧合学会了第二种天赋精神浸染。

个人信条　弱肉强食。

人际组成　好友——幽冥

特蕾娅语录

"你怎么这样说人家？"她抬起光芒流转的瞳孔，"你不也是么，和我一样的怪物。"

（第九章　侵蚀者）

"当年我和幽冥，看见你和霓虹两个人浑身血浆地从那个地狱般的洞穴里走出来的时候，我们两个仿佛看到了当年的自己。真是打心眼儿里喜欢呢。"

（第十二章　霓虹）

鬼山缝魂

基本信息

爵名：未知	生日：10月20日
性别：男	星座：天秤座
身高：189CM	血型：A型
体重：72KG	魂器：巨剑
年龄：未知	

能力参数
PARAMETER

魂力
谋略
魂力感知
防御力
速度

魂印：

物全景图：

正面视觉图

侧面视觉图

背面视觉图

回路	爵印在耳朵下方脖子处。天赋是对魂兽的控制。可以催眠魂兽为己所用。

魂兽

海银
力量级别：高级水属性魂兽

喜好

真理。能让莲泉开心的。

性格

与妹妹莲泉一样，都是看似冷漠却心地善良的人。善恶分明。在世上最疼的就是自己的妹妹莲泉，也因为她而相信世间的真理和善恶，但身为哥哥的他更多偏向于保护。颇为尽忠职守，在目睹白银祭司的真相之后一直被幽冥追杀，但仍不放弃。最终在雷恩海域寻找永生王爵时，为保护妹妹而死。

特殊能力

催眠魂兽
因为与第五使徒鬼山莲泉为亲兄妹关系，血缘使得兄妹二人可以互相驾驭、收容对方的魂兽、魂器。

人际组成

妹妹——鬼山莲泉

鬼山缝魂语录

"这些轮不到我们去想，我们只是王爵和使徒而已。接受并完成任务，是我们的命运。"

（第十三章　聚魂式）

"你没有把莲泉留在那里，这份情我和莲泉都记着，莲泉这条命也是你给的，哪天你想要了，说一声，我们二话不说还给你。"

（第八章　遥远的血光）

西流尔

基本信息

爵名：永生王爵	生日：06月18日
性别：男	星座：双子座
身高：180CM	血型：A型
体重：61KG	魂器：未知
年龄：未知	

能力参数
PARAMETER

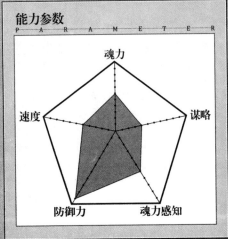

魂力

速度　　　　　谋略

防御力　　魂力感知

魂印：

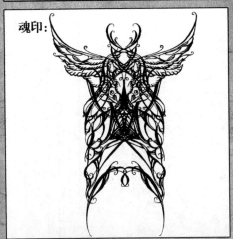

人物全景图:

正面视觉图

侧面视觉图

背面视觉图

回路 天赋是高速的恢复能力，使其接近永生。魂印在右边肩膀。

魂兽 未知
力量级别：未知

喜好 看海。

性格 尽忠职守，怀有高尚信仰的贵族。以永生为天赋，因面首先不惧怕的便是奉献与牺牲。因为其独特的天赋，而对生死有自己的理解。

特殊能力 永生
因为所拥有的恢复能力，加上水属性王爵在海上可以任意制作出阵，导致西流尔在海面上可以制作出恢复力近乎恐怖的阵，因此，在海面上他几乎是无法被杀死的。

个人信条 寻找生命永恒的真相。

人际组成 女儿——天束幽花

041

银尘

基本信息

爵名：未知	生日：08月26日
性别：男	星座：处女座
身高：179CM	血型：A型
体重：60KG	魂兽：雪刺
年龄：24岁	

能力参数
P A R A M E T E R

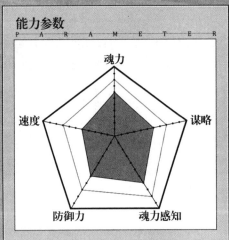

魂力

速度　　　　　谋略

防御力　　　魂力感知

魂印：

物全景图：

正面视觉图

侧面视觉图

背面视觉图

回路 回路位置在尾骨的最后一节。其天赋是无限魂器同调——可以用魂力去影响其他魂器，能让其他魂器被他自由地使用，从而使得任何魂器都变成以他的魂力方式可以控制的武器。又因为魂器是第二魂兽的寄居之所，所以理论上可以拥有无限的魂兽。他身体里还封印着上一代一度王爵的灵魂回路（四象极限，有操纵四种元素的能力，已被封印）。

喜好 看古书。喜欢炫耀自己丰富的知识。收集各种遗落的魂器。

魂器 **细长刺剑、发光的镜子、女神的裙摆等**

性格 曾为上一代天之使徒，与他同辈的是海之使徒东赫、地之使徒格兰仕。在三年前的浩劫中逃过一死，而后被白银祭司封印了第一使徒的回路，变成七度王爵。个性低调、冷漠，却拥有非凡的贵族气质。从小孤苦，独自生活在魂力交错影响的褐合镇，具备复杂的元素能力，独立生活能力很强，处事冷静，喜欢独来独往，不愿与人多交往。内心怀有许多不为人知的秘密。

特殊能力 **自身有两套灵魂回路。**
目前运转的是第七王爵的回路。而银尘自身有与生俱来的对元素的操纵能力，比同期其他使徒更快学会了对元素的操纵。体质上最接近吉尔伽美什的人。

银尘语录

"所以我现在依然是七度王爵，没有成为一度王爵，就足够证明，吉尔伽美什还活在这个世界上。虽然我找不到他……我找了他整整四年了……"

（第八章 遥远的血光）

吉尔伽美什

基本信息

爵名：未知	生日：09月07日
性别：男	星座：处女座
身高：183CM	血型：A型
体重：64KG	魂器：审判之轮
年龄：未知	

能力参数

P A R A M E T E R

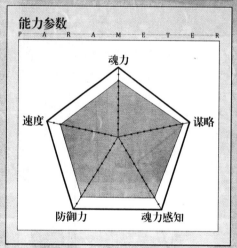

魂力

谋略

速度

防御力　　魂力感知

魂印：

人物全景图：

正面视觉图

侧面视觉图

背面视觉图

回路
其天赋是四象极限，有操纵四种元素的能力。

魂兽
宽恕
力量级别：顶级（上古四大魂兽之一）

喜好
品酒，收集各式酒杯。

性格
尊贵如神祇般被其他王爵所信赖的一度王爵，他的出现一直是个谜。大度的作风行为和超越常人的能力，让曾经的一度王爵漆拉也对他深感佩服。然而因为其回路的强大，他具备了使用力量接近十二祭司的魂器审判之轮的能力，从而被白银祭司以叛徒为由囚禁在不知名地点。

特殊能力
四象极限
除开独特的天赋四象极限，各方面的天赋都优于常人。其全方面的能力简直如同"怪物"。

人际组成
天之使徒——银尘
地之使徒——格兰仕
海之使徒——东赫

伊莲娜

基本信息

爵名：未知	生日：12月08日
性别：女	星座：射手座
身高：162CM	血型：O型
体重：50KG	喜好：小动物
年龄：23岁(已死)	

能力参数

P A R A M E T E R

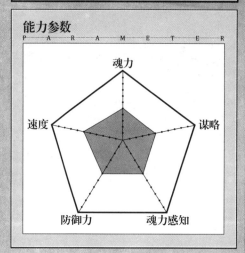

魂力

谋略

魂力感知

防御力

速度

魂印：

费雷尔

基本信息

爵名：未知	生日：03月28日
性别：男	星座：白羊座
身高：181CM	血型：AB型
体重：62KG	喜好：旅行
年龄：27岁(已死)	

能力参数
P A R A M E T E R

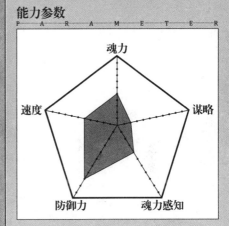

魂力

谋略

魂力感知

防御力

速度

魂印：

使徒篇：

NO.1 | **第一使徒**

PERSONALITY INFLUENCE

　　使徒是王爵的继承者，拥有和王爵同样形状和位置的爵印，和王爵一样按照魂力有所区别，分为第一到第七使徒。每一个王爵只拥有一个使徒。但一度王爵拥有三个使徒，分别以天、地、海三位天使名字命名。目前一度王爵的三位第一使徒为修川地藏的四胞胎兄弟。

基本信息

使徒名:天之使徒(路西法)	**年龄：未知**
性别：男	**生日：05月04日**
身高：179CM	**星座：金牛座**
体重：60KG	**血型：B型**

能力参数

P A R A M E T E R

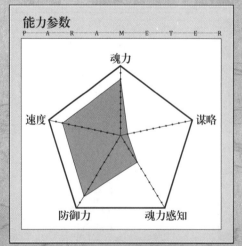

（雷达图标注：魂力、谋略、魂力感知、防御力、速度）

048

基本信息

使徒名:**地之使徒**(米迦勒)	年龄：未知
性别：**男**	生日：**05月04日**
身高：**179CM**	星座：**金牛座**
体重：**60KG**	血型：**B型**

能力参数
P A R A M E T E R

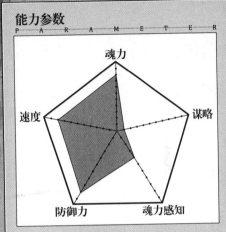

魂力

谋略

速度

防御力　魂力感知

基本信息

使徒名:**海之使徒**(雾涅尔)	年龄：未知
性别：**男**	生日：**05月04日**
身高：**179CM**	星座：**金牛座**
体重：**60KG**	血型：**B型**

能力参数
P A R A M E T E R

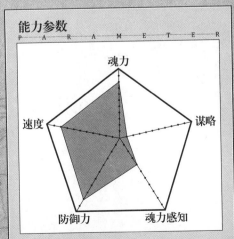

魂力

谋略

速度

防御力　魂力感知

神音

基本信息

使徒名：杀戮使徒	生日：11月28日
性别：女	星座：射手座
身高：163CM	血型：AB型
体重：47KG	魂器：束龙
年龄：未知	

能力参数

PARAMETER

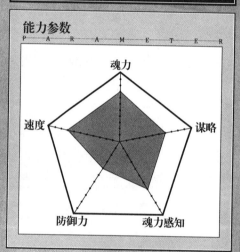

魂力

谋略

魂力感知

防御力

速度

魂印：

物全景图：

正面视觉图

侧面视觉图

背面视觉图

回路 新一代侵蚀者之一。其天赋是通过敌人对她的攻击，将伤害转化成魂力，以完善、修复自身的灵魂回路。

魂兽 织梦者
力量级别：高级水属性魂兽

喜好 自由自在地生活。与不知道魂术世界的普通人聊天。

性格 神氏家族之中的贵族少女，实际上为这一代的侵蚀者。身上背负着许多谜团。原本是开朗的少女，向往简单而自由的生活，因为某种原因甚至把自己身为侵蚀者时的悲痛记忆给忘了。但身为幽冥的使徒，对幽冥极端的行事方式感到痛苦。似乎对天真单纯的麒零存有好感。

特殊能力 进化
其天赋是通过敌人对她的攻击，将伤害转化成魂力，以用来完善、修复自身的灵魂回路，因此她在战斗中不断修复自己的回路，能力在不断地提升。

个人信条 寻找自己人生的真相。

人际组成 其家族为神氏家族，家族内都是魂术师。哥哥——神斯。

神音语录

"那我们……也是一路杀人……而活下来的么？"神音的眼睛里涌出一层泪光。

（第十章 霓虹）

鹿觉

基本信息

使徒名：未知	生日：01月17日
性别：男	星座：摩羯座
身高：183CM	血型：A型
体重：62KG	魂器：未知
年龄：未知	

能力参数
P A R A M E T E R

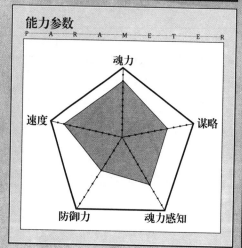

魂力
谋略
魂力感知
防御力
速度

魂印：

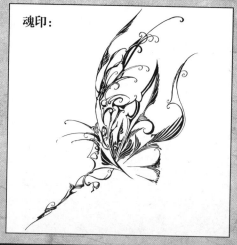

物全景图:

正面视觉图

侧面视觉图

背面视觉图

回路　与漆拉一样，其天赋是对空间超越极限的控制。

魂兽　**未知**
力量级别：未知

喜好　学习各种魂术技巧，听漆拉讲解魂术。

性格　曾是上上一代天之使徒路西法。在漆拉贵为第一王爵时便是他的使徒。个性敦厚，自幼吃过不少苦。因此，自沙漠中被漆拉救起成为天之使徒后，对漆拉万分感激。但对魂术其实并不是非常在意，只是非常希望自己的所作所为能令漆拉感到骄傲。对漆拉犹如对待父亲般崇拜。

特殊能力　**未知**

人际组成　三度王爵——漆拉

鹿觉语录

"我一定会尽最大的努力，希望有一天，也可以成为像漆拉您一样，凌驾众生之上的一度王爵。"

（第九章　侵蚀者）

05

霓虹

基本信息

使徒名：未知	生日：08月20日
性别：男	星座：狮子座
身高：189CM	血型：B型
体重：75KG	魂器：无
年龄：未知	

能力参数

PARAMETER

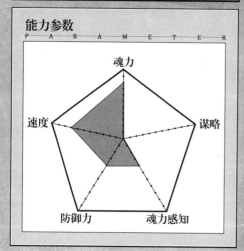

魂力
谋略
魂力感知
防御力
速度

魂印：

物全景图:

正面视觉图

侧面视觉图

背面视觉图

回路
其天赋是与生俱来的对痛觉、恐惧、防御求生本能的丧失，所以随时能将自己的能力调整到100%的程度。

魂兽
未知
力量级别：未知

喜好
对神音有所钟爱。吃生鲜美食。（要生吃哦！）

性格
受原始心态驱动，心智单纯，没有太多曲折，想到什么就做什么。但同时也力量惊人。对神音有着与生俱来的好感。

特殊能力
无感
心智单纯如原始人。因为毫无感官感受，对疼痛毫无知觉，因此不惧怕伤害，也不惧怕任何对手。拥有孩童般的心智。

人际组成
四度王爵——特蕾娅

鬼山莲泉

基本信息

使徒名：未知	生　日：07月06日
性　别：女	星　座：巨蟹座
身　高：164CM	血　型：A型
体　重：47KG	魂　器：回生锁链
年　龄：未知	

能力参数
P A R A M E T E R

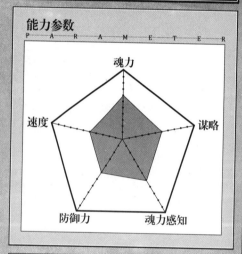

魂力

谋略

魂力感知

防御力

速度

魂印：

人物全景图:

正面视觉图

侧面视觉图

背面视觉图

回路 爵印在耳朵下方脖子处。天赋是对魂兽的控制。可以催眠魂兽为己所用。

魂兽 阇翅
力量级别: 高级

喜好 驯养美丽的鸟雀。收集、接触各类魂兽。

性格 看似冷漠, 实则心地善良的少女。个性坚韧。与哥哥鬼山缝魂相同, 十分正直, 充满正义感, 看不惯压迫。很喜欢小动物, 甚至觉得魂兽都是善良而有意识的。在之后的斗争中, 与哥哥一起坚持寻求白银祭司的真相, 并且唤醒永生王爵西流尔, 但随着鬼山缝魂及西流尔死去之后, 她继承了原第五王爵与第六王爵的回路, 魂力大幅提升, 成为新一代王爵。

特殊能力 催眠魂兽
因为与五度王爵鬼山缝魂为亲兄妹关系, 血缘使得兄妹二人可以互相驾驭、收容对方的魂兽、魂器。

个人信条 不杀不会魂术的人。

人际组成 哥哥——鬼山缝魂

鬼山莲泉语录

"你会魂术, 真是帮了大忙了, 因为我曾经发过誓, 绝对不杀不会魂术的人。"

(第二章 赐印)

"鬼山缝魂, 如果你让自己死了, 我一辈子都不会原谅你。"

(第十四章 女神的裙摆)

天束幽花

基本信息

使徒名：未知	生日：10月15日
性别：女	星座：天秤座
身高：156CM	血型：O型
体重：44KG	魂器：冰弓
年龄：16岁	

能力参数

P A R A M E T E R

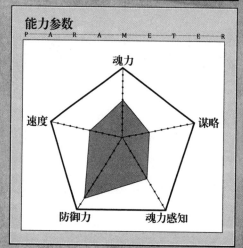

魂印：

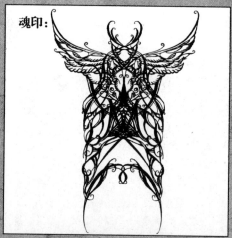

人物全景图：

正面视觉图

侧面视觉图

背面视觉图

回路	接近永生的重生和恢复能力。魂印在右边肩膀。
魂兽	**未知** 力量级别：未知
喜好	活在众人的目光中心，永远被人重视，被呵护。
性格	出身高贵的贵族郡主。个性刁蛮、任性，时常口不对心，有许多小女儿家的脾气。对麒零有好感。她从小独自生活，从没见过父亲，母亲在生她时去世，因此暗地里受过不少讥讽，但贵为郡主让她不愿服输。其母亲曾是负责亚斯蓝帝国史实资料记载的神官，因此她对亚斯蓝帝国的种种都非常了解。父亲是六度王爵西流尔。她并非真正意义上的第六使徒，她的灵魂回路是出生时从母亲胎盘里继承的。
特殊能力	**未知**
个人信条	想和爸爸妈妈真正地生活在一起。
人际组成	父亲——西流尔

059

天束幽花语录

"敢挡我的路，不要命了么？！"

（第五章 黄金魂雾）

"不就是一个最下位的王爵而已，有什么好了不起的，几年之后，等我成为王爵，你也就只是一个排名在我之下的喽啰！你也就趁现在还能嚣张几年吧。"

（第六章 大天使）

麒零

基本信息

使徒名：未知	生日：04月22日
性别：男	星座：金牛座
身高：185CM	血型：B型
体重：60KG	魂器：半刃巨剑
年龄：17岁	

能力参数
P A R A M E T E R

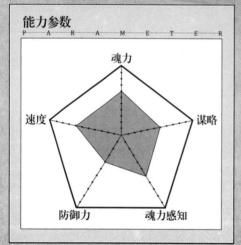

魂力
速度
谋略
防御力
魂力感知

魂印：

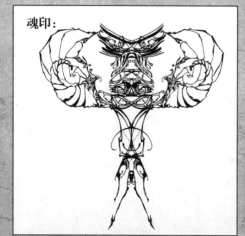

人物全景图：

正面视觉图

侧面视觉图

背面视觉图

回路 爵印在尾椎的最后一节。其天赋是无限魂器同调，可以用魂力去影响其他魂器，能让其他魂器被他自由地使用，从而使得任何魂器都变成以他的魂力方式可以控制的武器。又因为魂器是第二魂兽的寄居之所，所以理论上可以拥有无限的魂兽。

魂兽 苍雪之牙
力量级别：高级水属性魂兽

喜好 银尘。各种新鲜玩意儿。想要收集各种夸张的魂器。

性格 伶俐、俊美的少年。父亲是普通的深山猎户，因为一次意外被野狼袭击而死，母亲也因此自杀殉情。而后他被驿站收留，在市井之间摸爬滚打着长大，生性乐观积极，虽然做事有点儿大大咧咧，但为人憨厚、善良，愿意为他人着想。在遇见银尘之后被银尘为他所做的一切感动，因此，他的最高信仰不是"神"或者"魂力"，而是"银尘"。

特殊能力 从未受过魂力训练的麒零自身充满了谜一般的天赋，因此才能在一无所知的情况下收服了苍雪之牙。

个人信条 别人如果对我好，我就会加倍地对他好。

麒零语录

"我麒零别的没有，就是别人对我好，我就加倍对别人好。所以我想成为厉害的人，不让你感觉丢脸。而且以后有别的王爵欺负你，或者魂兽要伤害你，我能帮你对付他们。你有危险，我也能保护你。我不想一直做一个没用的人。"

（第八章　遥远的血光）

格兰仕

基本信息

使徒名:地之使徒		年龄：20岁(四年前)	
性别：男		星座：摩羯座	
身高：186 CM		喜好：斗嘴	
体重：64KG		魂器：玄铁刺刃	

能力参数
PARAMETER

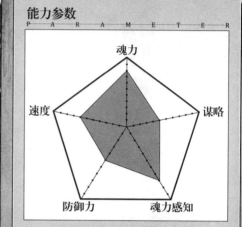

东赫

基本信息

使徒名:海之使徒		年龄：23岁(已死)	
性别：男		星座：摩羯座	
身高：179 CM		喜好：看风景	
体重：60KG		魂兽：雪雁	

能力参数
PARAMETER

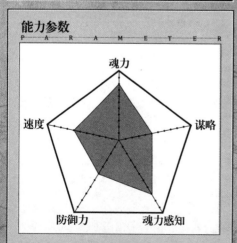

藏河

基本信息

使徒名:地之使徒	年龄：25岁(已死)
性别：男	星座：金牛座
身高：181CM	喜好：保护人
体重：62KG	魂兽：未知

能力参数
PARAMETER

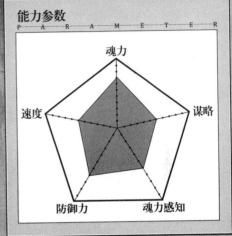

魂力
谋略
魂力感知
防御力
速度

束海

基本信息

使徒名:海之使徒	年龄：25岁(已死)
性别：男	星座：金牛座
身高：181CM	喜好：被人保护
体重：62KG	魂兽：未知

能力参数
PARAMETER

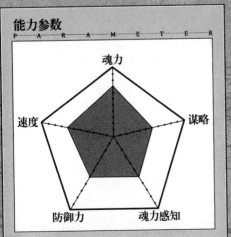

魂力
谋略
魂力感知
防御力
速度

托卡

性别：男

身份：魂术师

年龄：37岁(已死)

经历：曾经是矿工，出身低贱却阴差阳错拥有了一定魂力，因此成为魂术师。受不了下层社会的生活，一心想依靠魂术被人看重。心狠手辣。为了抢夺流云甚至故意斩下了金斯的小指，与其结怨。

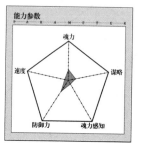

能力参数
PARAMETER

金斯

性别：男

身份：魂术师

年龄：30岁出头(已死)

经历：帝都里小有名气的魂术师，其家族以对魂术精湛的控制出名。曾在捕捉魂兽流云的时候，被托卡切掉了小指。最终在福泽镇抢夺冰貉的过程中，死于莉吉尔之手。

能力参数
PARAMETER

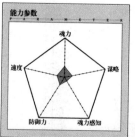

莉吉尔

性别：女
身份：魂术师
年龄：19岁(已死)
经历：在魂术师中以"冷血凶残"著称的女人，却有着如幼童般的面容。没人知道她怎么会有如此个性。凶狠之下还有几分天真，性格阴晴不定。

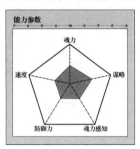

能力参数
PARAMETER
魂力
谋略
魂力感知
防御力
速度

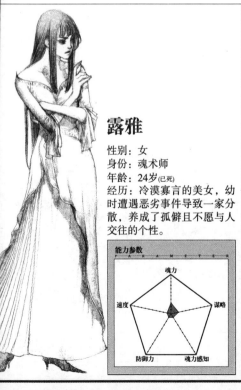

露雅

性别：女
身份：魂术师
年龄：24岁(已死)
经历：冷漠寡言的美女，幼时遭遇恶劣事件导致一家分散，养成了孤僻且不愿与人交往的个性。

能力参数
PARAMETER
魂力
谋略
魂力感知
防御力
速度

流娜

性别：女
身份：魂术师
年龄：21岁
经历：平时以舞娘身份游走于世，傲慢、恣情享乐的魂术师。拥有魂兽红日。

能力参数
PARAMETER
魂力
谋略
魂力感知
防御力
速度

∼角色篇∼
[魂兽档案馆]

　　拥有极高魂力的生物，有不同形态的存在，可以作为魂术者的武器。收服魂兽的过程中需要魂术者将魂兽攻击至垂死状态，然后趁它魂力最弱的时候释放自己的魂力，将其吞噬。

魂兽名：祝福	魂兽名：自由
力量级别：顶级（上古四大魂兽之一）	力量级别：顶级（上古四大魂兽之一）
魂兽形态：未知	魂兽形态：未知
捕获地：暂时在魂塚深处	捕获地：北之森深处
性格：未知	性格：未知
隶属：野生	隶属：野生
魂兽属性	魂兽属性
攻击力：★★★★★★★★★★	攻击力：★★★★★★★★★
防御力：★★★★	防御力：★★★
速　度：★★★★★★★	速　度：★★★★★★★★★
智　力：★★★★★	智　力：★★★★★★★★★
捕获难度：★★★★★★★★★★	捕获难度：★★★★★★★★★★

魂兽名：宽恕
力量级别：顶级（上古四大魂兽之一）
魂兽形态：巨大的莲花
捕获地：北之森深处
性格：未知
隶属：吉尔伽美什
魂兽属性
攻击力：★★★★★★★★★★
防御力：★★★★★★★★
速　度：★★★★★
智　力：★★★
捕获难度：★★★★★★★★★

魂兽名：诸神黄昏
力量级别：顶级（上古四大魂兽之一）
魂兽形态：巨大的蜈蚣
捕获地：未知
性格：未知
隶属：幽冥
魂兽属性
攻击力：★★★★★★★
防御力：★★★★★★★★★★
速　度：★★★★★★
智　力：★★★★★
捕获难度：★★★★★★★★

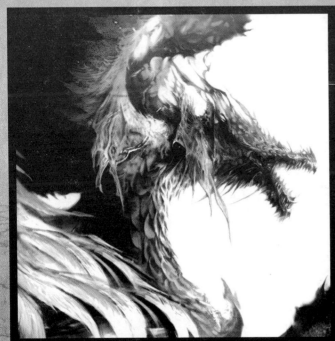

NO.1
魂兽名：**海银**

力量级别：高级水属性魂兽
捕获地：雷恩海域
性格：极端危险的海兽，蛰伏在大海深处，具有操控巨浪的能力。能发出巨响，以此逼出海底深处蛰伏的各类魂兽。
魂兽形态：有着麒麟的身体和龙尾巴的怪兽，龙头上长有九颗眼睛，双肩有翅。
隶属：鬼山缝魂
魂兽属性
攻击力：★★★★★
防御力：★★★★★
速　度：★★★★
智　力：★★★
捕获难度：★★★★★★★

NO.2 魂兽名：闇翅

力量级别： 高级
捕获地： 未知
性格： 孤傲、有着极强自尊心的巨鹰。向往自由。
魂兽形态： 银翼巨鹰
隶属： 鬼山莲泉
魂兽属性

攻击力	★★★★★
防御力	★★★★
速　度	★★★★★
智　力	★★★
捕获难度	★★★★★

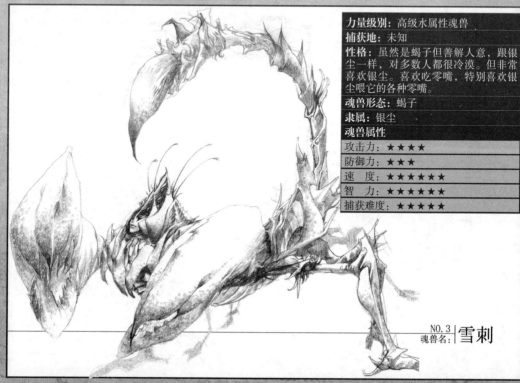

力量级别： 高级水属性魂兽
捕获地： 未知
性格： 虽然是蝎子但善解人意，跟银尘一样，对多数人都很冷漠。但非常喜欢银尘。喜欢吃零嘴，特别喜欢银尘喂它的各种零嘴。
魂兽形态： 蝎子
隶属： 银尘
魂兽属性

攻击力	★★★★
防御力	★★★
速　度	★★★★★★
智　力	★★★★★★
捕获难度	★★★★★

NO.3 魂兽名：雪刺

NO.4 魂兽名: 苍雪之牙

力量级别： 高级水属性魂兽

捕获地： 福泽镇

性格： 骄傲且力量惊人的狮子，但有点儿傻头傻脑。喜欢逞能，但是又有担当的能力。喜欢被人重视，或是被夸奖。

魂兽形态： 白色长有羽翼的狮子

隶属： 麒零

魂兽属性

攻击力：	★★★★★
防御力：	★★★★
速　度：	★★★★★
智　力：	★★★★
捕获难度：	★★★★★★

NO.5 魂兽名: 织梦者

力量级别： 高级水属性魂兽

捕获地： 未知

性格： 平时温顺、细腻，善于织出韧性极高的捕捉网络，将猎物猎杀在其中。

魂兽形态： 蜘蛛

隶属： 神音

魂兽属性

攻击力：	★★★★
防御力：	★★★
速　度：	★★★★★
智　力：	★★★★★★
捕获难度：	★★★★★

NO.6
魂兽名：**电狐**

力量级别：高级雷电属性魂兽
捕获地：未知
性格：狡猾多疑，是亚斯蓝帝国里少有的群居魂兽，通常以群体为活动单位，繁殖能力惊人。非常狡猾。
魂兽形态：浑身裹着金色电流的白色狐狸
隶属：野生
魂兽属性

攻击力：	★★★★★
防御力：	★★★★
速　度：	★★★★★★★★
智　力：	★★★★★★
捕获难度：	★★★★★★★

魂兽名：雪雁
力量级别：高级水属性魂兽
魂兽形态：银白色大雁
捕获地：未知
性格：忠于护主的大雁，生性正直不阿，非常有耐性，在魂兽之中是颇具王者气息的一类。但特长不足。
隶属：东赫
魂兽属性

攻击力：★★★	防御力：★★★
速　度：★★★★★	智　力：★★
捕获难度：★★★	

魂兽名：山鬼
力量级别：高级魂兽
魂兽形态：猴形怪物
捕获地：雷恩海域的岛上
性格：暴躁易怒的原始猴，生性凶猛，具有极强的攻击力，以猎捕为趣。拥有"山崩地裂"的能力。
隶属：野生
魂兽属性

攻击力：★★★★★★	防御力：★★★★★
速　度：★★★★★★	智　力：★★★
捕获难度：★★★★★★	

魂兽名：铜雀
力量级别：高级水属性魂兽、
魂兽形态：巨大的金色的雀鸟
捕获地：北之森
性格：向往自由，生活在冰天雪地之中。也能制造风雪以便其居住。声音嘹亮，能令魂术师灵魂回路里的魂力冲击【魂印】，使魂力获得短暂提升。
隶属：野生（已死）
魂兽属性

攻击力：★★★★★	防御力：★★★★
速　度：★★★★★★★	智　力：★★★★
捕获难度：★★★★★	

魂兽名：冰貉
力量级别：高级水属性魂兽
魂兽形态：银白色的貉
捕获地：行踪未知
性格：藏匿度极高，不想被人捕捉，以囤积食物为乐趣。
隶属：野生
魂兽属性

攻击力：★★★★	防御力：★★★
速　度：★★★	
智　力：★	
捕获难度：★★★	

魂兽名：紫色人面裂齿长藤
力量级别：中级地属性魂兽
魂兽形态：紫色长藤，平时多悬挂在悬崖底部，人面隐藏在面向悬崖的一侧，关键时候才会显露。
捕获地：幽碧峡谷
性格：奸诈狡猾
隶属：野生
魂兽属性：

攻击力：★★★★★★★	防御力：★★★
速　度：★★	智　力：★★★★
捕获难度：★★★★★	

魂兽名：骨蝶
力量级别：中级魂兽
魂兽形态：骨头组成的蝴蝶
捕获地：未知
性格：怪异且凶悍残忍，完全服从莉吉尔的命令，以吞噬血肉为乐趣。但对莉吉尔有难舍的情感。
隶属：莉吉尔
魂兽属性

攻击力：★★★★★	防御力：★
速　度：★★★	智　力：无
捕获难度：★★	

魂兽名：红日
力量级别：初级魂兽
魂兽形态：红色的狮子
捕获地：未知
性格：暴躁易怒，欺软怕硬
隶属：流娜
魂兽属性

攻击力：★★
防御力：★
速　度：★★
智　力：无
捕获难度：★

角色篇
[魂器档案馆]

　　不是普通意义上的兵器，它只产生于魂塚里面。它和魂术师的身体一样，具有容纳魂兽的力量，所以，拥有魂器的人，其实等于拥有两只魂兽。但是只有使徒才有资格进入魂塚去摘取自己的魂器。魂器和魂兽一样，也需要寄居在魂术师的身体内部才能恢复魂力。首次出现在第三章。

NO.1
魂器名：审判之轮

魂器等级： 神级

魂器类别： 剑

魂器归属： 吉尔伽美什

魂器特性： 奥汀大陆上的四个国家，每个国家都有三个白银祭司，一共十二个白银祭司。他们是来自神界的十二天神，分别是智慧之神、力量之神、海洋之神、天空之神、大地之神、火焰之神、梦境之神、死亡之神、生命之神、时间之神、光明之神、黑暗之神。而他们各自都拥有属于他们自己的十二把佩剑，每一把佩剑都拥有属于它们各自的力量。这十二把神剑，组合在一起，就是审判之轮。审判之轮是没有属性的，它拥有所有的属性，但是又不属于任何一个属性。首次出现在第十五章。

获取难度： ☆☆☆☆☆

NO.2
魂器名：**死灵镜面**

魂器等级： 王爵级

魂器类别： 盾牌

魂器归属： 幽冥

魂器特性： 幽绿色的宝石，战斗状态为一面巨大的通体剔透的绿色透明盾牌，根据使用者的魂力高低，可投影出一个和敌人一模一样的复制品，代替使用者去战斗；从理论上来说，只要使用者的魂力不中断，那么它能造的投影就是无限的，对方等于是在和无数个自己战斗，直到和最后一个死灵同归于尽。首次出现在第五章。

获取难度： ☆ ☆ ☆ ☆

NO.3
魂器名：**女神的裙摆**

魂器等级： 王爵级

魂器类别： 盾牌

魂器归属： 特蕾娅

魂器特性： 一条银白色丝绸长裙，武器属性是盾，在这些绸缎包围的领域里，任何间接攻击都是无效的。它将任何除了来自魂术师本人的魂力进攻之外的任何攻击，都强行地定义为间接进攻。硬度大于死灵镜面而小于龙鳞漆和雪妖的闪光。首次出现在第十章。

获取难度： ☆ ☆ ☆ ☆

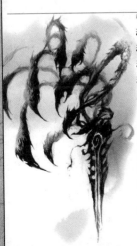

NO.4
魂器名：**束龙**

魂器等级： 王爵级

魂器类别： 鞭

魂器归属： 神音

魂器特性： 可以无限延展、随意分裂、柔韧如丝却坚不可摧的魂器，由四股来自不同种类的龙的筋脉编织扭合而成。当初制作这个魂器的人，同时也把四条龙的魂魄封印在了里面。首次出现在第一章。

获取难度： ☆ ☆ ☆

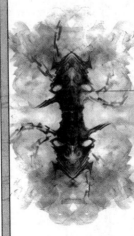

NO.5
魂器名：**回生锁链**

魂器等级： 王爵级

魂器类别： 锁链

魂器归属： 鬼山莲泉

魂器特性： 一条银白色锁链，与束龙性质相似，可随意分裂布置成一张巨大的网，同时进行攻击和防御。首次出现在第四章。

获取难度： ☆ ☆

魂器名：龙鳞漆

魂器等级：王爵级

魂器归属：无

魂器特性：在所有亚斯蓝历史上记载出现过的魂器中，分别排名第一的防具，首次出现在第二十章

魂器名：雪妖的闪光

魂器等级：王爵级

魂器归属：无

魂器特性：在所有亚斯蓝历史上记载出现过的魂器中，分别排名第一的盾牌，首次出现在第二十章

魂器名：战神之盾

魂器等级：使徒级

魂器归属：无

魂器特性：属于防具一类，拥有超高防御力，但没有攻击力；防御力弱于龙鳞漆和雪妖的闪光，首次出现在第四章，但是未有所有权记载

魂器名：龙渊之盾

魂器等级：使徒级

魂器归属：无

魂器特性：属于防具一类，拥有超高防御力，但没有攻击力；防御力弱于龙鳞漆和雪妖的闪光，首次出现在第四章，但是未有所有权记载

魂器名：冰弓

魂器等级：使徒级

魂器归属：天束幽花

魂器特性：一把弓，三尺半长，弓的两头雕刻出翅膀的形状，冰蓝色的弓弦，没有箭筒，也没有箭，以魂力临时制作冰箭或者直接激射魂力为战斗方式，首次出现在第七章

魂器名：聚魂玉

魂器等级：使徒级

魂器归属：银尘

魂器特性：一盏碧绿色的铜灯，可以将周围大范围的黄金魂雾迅速吸纳聚拢，对于受伤的，或者魂力消耗巨大的魂术师来说，是一件很有用的魂器，首次出现在第二十一章

魂器名：护心镜

魂器等级：使徒级

魂器归属：银尘

魂器特性：能抵御所有对心脏的致命攻击，无论是来自元素魂术还是钝重的物理硬伤，都能为使用者"抵一命"，但是也只有一次抵挡的作用，再次受攻击就会无效了，历史上对此魂器并无记载，一到晚上就会释放柔和的光亮，可以用来照明，首次出现在第二十章

魂器名：黄金源泉

魂器等级：使徒级

魂器归属：银尘

魂器特性：一颗浑圆的金黄色小球，是可以产生黄金魂雾的源泉，首次出现在第二十二章，被银尘用来救吉尔伽美什。

魂器名：云决

魂器等级：使徒级

魂器归属：银尘

魂器特性：一件非防具也非武器的魂器，可迅速在天空制造出大量的云，从而降雨，不具备进攻或者防御的属性；在沙漠里或者周围没有水源的地方，能够通过瞬间的大规模降雨，迅速改变周围的地域属性，从而大幅提高魂术师的战斗力，作为魂器本身，因为是"云"，所以本身就可以漂浮，首次出现在第二十一章

魂器名：定身骨刺

魂器等级：使徒级

魂器归属：银尘

魂器特性：通体绿色，看起来仿佛古老生锈的锥刺模样；是一件虽然不能伤敌，却绝对能保命的魂器。在任何情况下，只要魂术师企图收回这枚魂器，那么，在魂器回到魂术师体内的同时，无论当时它与魂术师的距离有多远，或者是否被其他魂术封印阻隔，都能够将魂术师拉回魂器所在的位置。功能相当于一枚为魂术师量身定做的棋子，使用得好的话，可以在任何危险的战斗场合全身而退。首次出现在第二十二章

CRITICAL

第三章
故 事 篇

　　整个奥汀大陆分为东南西北四个国家，分别是西方的水源亚斯蓝帝国，东方的火源弗里艾尔帝国，北方的风源因德帝国和南方面积最大也最神秘的地源埃尔斯帝国。也许在普通人的眼里，这没什么特别，因为每个国家的百姓们都安居乐业；而到了魂术世界，用魂术师的视角来看，这四个国家不同的属性，间接决定了他们对阵时的强弱：水、土、火、风循环相克，水克火，火克土，土克风，风克水。

～ 故事解说 ～

（一）

大陆，地球上面积广阔而完整的陆地。从地理的意义来说，是指面积大于格陵兰岛的陆地。地球上最大的大陆是欧亚大陆，最小的大陆是澳洲大陆。奥汀大陆，便介于这最大和最小之间，存在于这地球上某一个，你所不知道的方位。它和其他所有大陆一样，有群山，有湖泊，有盆地，有峡谷，当然，最重要的，它也有城镇和在这里生活着的人民。

整个奥汀大陆分为东南西北四个国家，分别是西方的水源亚斯蓝帝国，东方的火源弗里艾尔帝国，北方的风源因德帝国和南方面积最大也最神秘的地源埃尔斯帝国。也许在普通人的眼里，这没什么特别，因为每个国家的百姓们都安居乐业；而到了魂术世界，用魂术师的视角来看，这四个国家不同的属性，间接决定了他们对阵时的强弱：水、土、火、风循环相克，水克火，火克土，土克风，风克水。

这个故事，首先要从哪里说起呢？

就从故事的主导者，十二位【白银祭司】开始说起吧。

在很久很久以前，也不知道有多久，总之，就是久到，知道【白银祭司】的真正身份的人，早已死去，甚至是他们的后代也已经过了一轮又一轮。又或者，根本就没有人知道【白银祭司】的秘密，他们来自奥汀大陆以外，是作为罪大恶极的囚犯被流放到这里来的。

……这就是他们的真正身份。他们三个，包括风源、火源、地源的另外九个。他们号称自己是十二天神，其实，他们是十二个，被他们自己原本的国家流放到我们这个世界的，罪大恶极的十二个恶魔。他们被囚禁在水晶深处，没有人身自由。然而，不知道被囚禁了多久之后，他们发现了可以通过魂力，控制奥汀大陆上的人，来为他们做事。于是，也就诞生了所谓的王爵、使徒。……（第二十四章）

囚犯的最大愿望应该就是重获自由吧。其实他们的肉身早已消亡，只留下十二枚【黄金瞳孔】，散落在这片陆地上的十二个角落；他们将自己最肮脏且邪恶的灵魂存放在巨大的水晶石壁里，无法离开，一旦离开便会灰飞烟灭，也没有其他正常的人类肉体可以存放这毒性巨大的东西，除非……

……"其实不是为了制造侵蚀者，而是为了让白银祭司找到一个肉身，让他们那团漆黑冰冷的邪恶灵魂可以寄居在这个身体里，并且重新将黄金瞳孔种植在这具肉身里，那么，他们就等于从'水晶牢房'里逃脱了。"……（第二十四章）

当这个目标被确立时，每个国家的三位【白银祭司】便开始了一轮又一轮的尝试，风源最先制造出了一个不算完美，但至少可以承受【黄金瞳孔】的巨大毒性和腐蚀性的容器，那个人，暂且就称呼他为"人"吧，后来成为了奥汀大陆上最强大的【王爵】——【一度风爵】铂伊司，他的额头里，种植着风源两枚【黄金瞳孔】中的一枚，可以理解为，他的魂力是无限的。

可是对那些已经被困了很多年的囚犯们来说，这计划实施的进度太慢了，于是风源和水源开始联手，签订了最高机密《风水禁言录》，并在两国交界处的【极北之地】，共同打造了一个制造【完美容器】的洞穴，水源提供一枚【黄金瞳孔】，而风源提供之前的经验和技术，这就是传说中的【凝腥洞穴】，【侵蚀者】的发源地。

……"侵蚀者听上去非常强大，其实说白了，不过是制造【完美容器】的失败品，但是失败了之后，随意丢弃又太过可惜，所以，就让这些侵蚀者们互相残杀，最终活下来的，就放出去，成为新的王爵使徒，以此不断诞生最强大的王爵使徒，从而提升国家的整体魂术实力。"……（第二十四章）

说到这里，我想我们的故事可以正式开始了。

（二）

大约十五六年前，具体是多少年谁也无法确定，那几个国家可能还没有引用"公元前""公元"这种纪年方式，所以谁也不记得了。只知道那个时候，【冰帝】艾欧斯还是个柔弱的小男孩，大约十二三岁吧，他和当时的【一度王爵】漆拉一起生活在帝都格兰尔特的宫殿里；是的，那个时候，漆拉已经是一个成熟男子，他一直陪伴艾欧斯成长至成年。

……透明气流的对面，一个高大挺拔的男子无声无息地站在刚刚艾欧斯站立的地方，浑身漆黑的长袍，上面有隐隐的黑色金线勾勒出的图案，他的出现悄无声息如同鬼魅，整个人像是没有生命的影子一样，忽然降临。而此刻，艾欧斯正静静地仿佛一个孩子般，被这个男子单手抱在怀里。黑袍男子头上的兜帽被风吹开，他俊美的面孔仿佛一朵出水的雪莲般精致，甚至比大多数女子的面容都还要貌美。他的双眼充满了流转的光泽，粉红的嘴唇和挺拔秀气的鼻梁，让他看起来仿佛有一种夺人心魄的美。……（尾声）

有这么一天，艾欧斯感觉到有一种神秘的力量在召唤自己，他并不知道那是什么，只是迷迷糊糊就跟着去了，他原本和漆拉一起出现在亚斯蓝的【极北之地】，却独自一个人走开了；并不是在寻找什么东西，只是茫然地走着，就这么来到了【凝腥洞穴】的洞口。

他并不知道自己正面临着巨大的危险，也不知道自己会差点死去，更不知道会有一个人在危急关头出手相救。那是他和【一度风爵】铂伊司的第一次会面，当时只以为是平常的相遇，而事后多年回想起来……

而对于漆拉来说，那也是他第一次遇见风源的【王爵】，相比较起【风后】

西鲁芙的咄咄逼人，铂伊司看起来并没有敌意，但仍无法掩饰他强大的能力。也许是他天性如此，也许是他还要赶着去做更重要的事情，所以并没有和漆拉纠缠，而是任由漆拉和艾欧斯离开了。

……"难道'那个计划'已经开始了？……但怎么会提前这么多……"银发少年望着幽暗的洞口，不知道是在自言自语，还是对着某个还没有现身的人，轻轻地说着。……（序章）

那个计划，指的当然是风源和水源合力制造【完美容器】的计划，已经开始了，而且很快便有了一个接近成功的作品，只是这个秘密谁知道呢？当天晚上，漆拉偷来了一个婴儿，因此遭到铂伊司和西鲁芙的追杀，那个婴儿是什么人？也许，他对于亚斯蓝和因德来说都很重要，只是艾欧斯并不了解这一点，他将婴儿丢弃在一辆陌生的马车上，送走了。那个婴儿跟着一堆瓷器被从阿切特拉市运送到福泽镇，被一对夫妻捡到并抚养，没有人知道他的真正来历。

……"哎？你看，他脚踝上有一个'零'字。"
"你这么喜欢，那就跟你的姓好了。就叫他麒零吧。"……（尾声）

差不多是同样的时间，在亚斯蓝的皇室天束家族里，一个取名为幽花的女婴出生了，这个家族所有的人都是辅佐帝王的大臣，女婴的母亲是直接负责亚斯蓝领域里的所有资料和历史记录的人；女婴的父亲是这一代的【六度王爵】西流尔，他的妻子也同时是他的【使徒】。西流尔的【天赋】是【永生】，具有超卓的重生和愈合力量，但他的妻子在怀孕时期就不断被肚里的婴儿掠夺魂力和生命力，在孩子出生的一瞬间她便死亡，她的灵魂回路也全部被复制到这个新生儿的身上。

（三）

一转眼又过了三四年。

在这三四年间，【凝腥洞穴】不知道制造出了多少【侵蚀者】，它们被赋予各式各样的灵魂回路，有的灵魂回路本身就有很大的缺陷，所以一出生就死掉了；而存活下来的那些会自相残杀，能力弱一些的就会在战斗中被杀死，而最后能存活下来的，就说明他的灵魂回路是合格的、强大的，甚至超越已经存在的【王爵】和【使徒】的；因为说到底，【王爵】和【使徒】们虽然号称是这个国家里魂力最强的一群人，但其实也不过都是被【白银祭司】制造或挑选出来的，身体构造较适合做【完美容器】的人而已。

【侵蚀者】存在的意义，注定了他们将一代强过一代；而这一代存活下来的两名，就已经强大到变态了。

……少女看了看四处散落的魂兽的尸块，脸上露出了混合着天真和邪恶的笑容。她的眼睛又亮又大，仿佛盛着一汪琥珀色的佳酿。她大概十一二岁的年纪，正处于童真和成人的分界线上，她的身体依然纤细修长，还没有具有成熟女性玲珑浮凸的饱满，她小巧的胸脯刚刚开始隆起，像精致的小小花苞。但是，她的脸上，却呈现着一种成熟女子的风韵，她瞳孔里的顾盼生姿，绝对能激起男人最原始的欲望，而且，再配合着她尚未发育成熟的纤细身体、白皙皮肤，更让人产生一种罪恶的欲望。……（第九章）

这是特蕾娅，她的【天赋】是魂力感知，能从对手最细微的魂力流动里，知道其力量的弱点和优势，也能从千里之外，感应到不同的人的魂力变化，这等于是一种很让人害怕的预知能力。这时她的身体还尚未成熟，心智却已然高于常人，而同她一起的少年幽冥仿佛还略嫌懵懂。

他们俩在【深渊回廊】北部的森林里通过抓捕魂兽来练习魂术的时候，遇到了漆拉和他的【天之使徒】鹿觉。双方因为【铜雀】之死起了冲突，明知道对方实力远远胜过自己，特蕾娅还是顽强应战，最后不得不使用【黑暗状态】来逃脱，差点丧命；然而，她和幽冥的怪异性格和【天赋】也使漆拉惧怕，漆拉仿佛已经隐隐预料到，这两个【侵蚀者】今后将会是很厉害的角色。

果然，漆拉的担心不是多余的，五年之后，他的地、海两个【使徒】正是被特蕾娅和幽冥暗杀，【天之使徒】鹿觉被幽冥重伤之后失踪，身为【一度王爵】已十几年的自己也瞬间被降为【三度王爵】，甚至位于已经变成【杀戮王爵】的幽冥之下。

……"哦，顺便说一下，"女子俏然一笑，掩嘴说，"忘记说了呢，可能我还是觉得自己说自己不太好意思，不过抱歉的是，我现在是四度王爵，我叫特蕾娅。那个少年啊，他叫幽冥。"

特蕾娅浅浅笑着，远处黑色的大海上吹来巨大的海风，把她的长袍吹动着，仿佛午夜里飘忽不定的鬼。

"怎么样，我们的名字挺好听的吧？哦对了，忘记告诉你了，那个怪物，就是新的一度王爵，他的名字更好听呢，他叫做吉尔伽美什。"……（第十章）

漆拉第一次听到吉尔伽美什这个名字，应该就是在七年前的【永生之岛】上了。藏河和束海两兄弟就是在这个岛上寻找【永生王爵】西流尔的时候被暗杀的，特蕾娅说她没有杀鹿觉，可是鹿觉也不见了；从此以后漆拉就是一个人独来独往，始终表情冷峻，将自己极其俊美的面孔藏在黑袍里，再也没有【使徒】的追随。开始的时候他不服气，常去【雾隐绿岛】上找吉尔伽美什挑战，而屡战屡败；吉尔伽美什就像是神一样的存在，可能除了【白银祭司】没人知道他的来历，而他的【天赋】是【四象极限】，他的【魂器】是【审判之轮】，这也是很久以后才被揭开的秘密。

（四）

一年以后。

……悠长的走廊两边，一边是高不见顶的石墙，墙是白色的坚硬石材质地，其上雕刻着异常繁复精美的花纹。流动的线条是水源建筑上常用的装饰风格。而另外一边，是一扇一扇巨大的拱形门洞，外面灿烂的光线照耀进来，在地上形成一块一块形状整齐的光斑。

这里是格兰尔特地底，按理说应该暗无天日，但是，门洞外剧烈的光线却照得人毫发毕现。没有人质疑种种违反自然现象的情景。在这座倒立在帝都王宫之下的心脏里，还有很多很多无法用自然物理常识解释的事情。……（第十六章）

这里是【心脏】。大家都以为【心脏】是倒立在帝都王宫之下的，其实并不然，它与王宫是通过一枚【棋子】相连的。【白银祭司】让众人产生这样的错觉，只不过是为了隐藏【黄金瞳孔】存在的秘密和他们自己的真实身份；事实上，【心脏】的位置是在【深渊回廊】的正下方，与【深渊回廊】共享一颗【黄金瞳孔】，这样才能维持【白银祭司】的强大魂力。

　　即使是【王爵】和【使徒】们，来这里的机会也并不多，所以幽冥和特蕾娅还很紧张。另一边，是吉尔伽美什和他的地、海两位【使徒】，东赫的性格内敛而谨慎，格兰仕却活泼不羁，在这里乱用【地元素】，差点儿弄塌了宫殿。离开【心脏】之后，吉尔伽美什遵照【白银祭司】的命令，前往东方边境之地【褐合镇】，寻找这一代的【天之使徒】银尘；而特蕾娅和幽冥则踏上了重回【凝腥洞穴】的路途，去迎接这一代胜出的【侵蚀者】。

　　……"你们是带着清晰的记忆从'那个地方'走出来的，你们记得所有的事情，也记得所有的起源、因果和你们身上肩负的使命。但是这一代侵蚀者，他们在走出洞穴前的最后一刻，都会被洗清记忆，在看见洞穴外第一丝光线的时候，他们的脑海也如同外面的雪原一样，空白一片，回归原始。所以，需要你们去接应他们。等到适当的时机，再告诉他们，他们真正的身份和使命，也就是和你们一样的，侵蚀者。"……（第十六章）

　　去接应新的一代【侵蚀者】……究竟是去接应，还是去迎战？特蕾娅已渐渐猜到了【侵蚀者】存在的意义了，她觉得恐惧和不甘，难道这么快就要被取代和淘汰了吗？而神一般的吉尔伽美什是不是也是一个，制造得比较完美的【侵蚀者】呢？无论如何，现在也只能先硬着头皮战斗了。

　　这一去他们差点死，但幸好活了下来。

　　……特蕾娅的视觉渐渐恢复，她看见站在自己面前的，是一个几乎全身赤裸的年轻男子，红色的头发，仿佛火焰般竖立在头顶，他的眉眼温顺而澄亮，暗红色的瞳孔仿佛宝石般温润，他的眉毛浓密柔软，像是雪狐的毛，他的鼻梁挺拔高耸，嘴唇饱满，微微地张开着，显得无辜而又单纯。……（第十七章）

　　这是霓虹。这个拥有【无感天赋】的怪物，性格单纯而温厚，不会说话，却对他的【王爵】特蕾娅有着简单的原始的欲望和顺从。她胜利了，而幽冥还没有，他正被另一对变态的连体女孩折磨得快要发疯。

……四处翻开的伤口，暴露的白骨，仔细看能分辨出手脚，然而却有四只手四只脚，从不同的方向诡异而又畸形地从肉块里扭曲地伸展出来，并且不停地挣扎着，随着这种让人毛骨悚然的挣扎，这团巨大的肉块不断发出惨绝人寰的尖叫声来，那声音锐利得如同匕首一般撕破人的头皮，阴冷得如同来自万丈深渊的地底，空气里还有不断激射而出的冰刃，密密麻麻地持续扎进那团肉块里，肉块发出的尖叫越来越大……（第十七章）

　　这是一种叫做【精神浸染】的可怕【天赋】，她的体内能发出一种无法听见的声音，将人的脑海里的平衡感和理智都打破，能让人感受到她营造出的极大的恐怖和恶心感，最终将人引导至精神错乱，失去理智，暴乱发狂。

　　这对连体女孩几乎被幽冥打成了肉酱，肢体血肉模糊地拧在一起，却依然活着并折磨着他。幸好特蕾娅带着霓虹及时赶来，霓虹救走了幽冥，特蕾娅忍着恶心将那一团肉块包裹起来，带回了【心脏】。【白银祭司】告诉幽冥那对连体女孩的情况，她们两人具有不同的灵魂回路，这也产生了两种截然不同的【天赋】，但却共享一根脊髓，和一个【魂印】，现在只能选择一个活下来。幽冥毫不犹豫地选择了与自己具有相同【天赋】的那一个，因为他经历过那种最最扭曲的恶心感，那种对精神领域的致命污染，便再也不想使那种【精神浸染】的【天赋】还存留在这个世界上了。

　　活下来的那个女孩，将会被送到格兰尔特神氏家族寄养，她的其他记忆将会被抹去，但也许，她会记得与幽冥之间的，使她失去亲人的仇恨。

　　这个女孩后来的名字，叫做神音。

　　那个被处死的女孩，血肉被切割下来，丢弃在荒原上；幽冥并不知道，特蕾娅靠近她，感知了她的灵魂回路并加以学习，偷偷地学会了她的【天赋】。

（五）

　　……雾隐湖位于亚斯蓝帝国的中心位置，地理位置上，处于南北两极的正中间，所以，这里一年四季的气候都温暖如春，整个湖上大大小小的岛屿星罗棋布，每个岛上都长满了茂密的参天大树，浓郁欲滴的绿色仿佛终年不散的雾气一样，湿漉漉地笼罩着分布在各个岛屿上的白色大理石宫殿。在湖心最大的那个岛上，有一座最大的行宫，那是亚斯蓝最高王爵吉尔伽美什的住所。……（第十七

章）

　　【雾隐绿岛】是一个多么美好的地方啊。吉尔伽美什找到银尘之后，就将他带回这里，与东赫和格兰仕一起共同生活；在此之前，银尘跟随着一个杂耍班子四处流浪、漂泊，被一个老者教过一些简单的魂术，靠变戏法为生。刚到岛上的时候，换了一身银色的衣服，被格兰仕笑话说像女孩子，一转眼两年过去了，格兰仕还是爱这么嬉皮笑脸地调戏他；他表面上冷冷的不屑一顾，其实心里早就习惯了这种，应该称做是"亲人"一般的感情吧。

　　这两年里，漆拉经常会来，开始，只是默默地出招，默默地战败，吉尔伽美什的魂力级别几乎压倒性地胜过他，终于使他输得心服口服。

　　……之后的漆拉和吉尔伽美什，渐渐地变成了互相欣赏的朋友。虽然在战斗上，漆拉不是吉尔伽美什的对手，但是，漆拉在空间和时间方面登峰造极的控制，也让吉尔伽美什非常钦佩。所以，渐渐地漆拉成为了雾隐绿岛上唯一来访的客人。有空的时候，漆拉也会教三个使徒们一些速度上的技巧。……（第十七章）

　　然而，这平静的生活被静止在四年前。
　　如果早就知道是这样的结果，在漆拉请求他去镇压暴动的【宽恕】和【自由】的时候，吉尔伽美什还会义无反顾地前往吗？他会眼睁睁地看着自己的三个【使徒】走入这样悲惨的命运吗？东赫被特蕾娅所杀，格兰仕为了保护银尘使用了【黑暗状态】，却无法自控变成了【饕餮】，最终将银尘切成碎片，自己也不知所踪了。
　　分明就是【白银祭司】策划了这一切：【六度王爵】西流尔已经失踪了多少年？他奉命将自己的肉身融入雷恩海域的【永生之岛】，将整个岛屿变成了一道封印，为的就是这一天的到来；又教漆拉唤醒一直在蛰伏着的【自由】和【宽恕】，使它们同时出现在【北之森】里，再教吉尔伽美什前来帮忙镇压。他们制订了两套计划：一旦吉尔伽美什被魂兽们打败，就立刻会被投入这座监狱中去，无限期地囚禁起来；如果他侥幸胜了【自由】和【宽恕】，便让他将【宽恕】捕捉成为自己的【第一魂兽】，趁着他魂力中断的那个瞬间，直接用漆拉做好的【棋子】将他送入【囚禁之地】。多么完美，几乎无懈可击。除了【白银祭司】，漆拉应该是知道秘密最多的人，可他最终还是出卖了朋友。

【白银祭司】要无限期地囚禁吉尔伽美什，因为发现他偷看了《风水禁言录》，他已了解《风水禁言录》的所有内容，包括【白银祭司】的阴谋和目的。这样说来，吉尔伽美什应该早就知道这一切，他必然是知道的，也应该预料到自己无论如何也逃脱不了这样的命运。去或者不去，结局都是一样的。其实，看完《风水禁言录》之后，他也一度心灰意冷，才会在【雾隐绿岛】隐居起来，几乎不问世事……换成被囚禁起来，对他来说，也许并不是很大的分别吧。于是他保持着一贯的从容不迫，欣然前往。

……他抬起手，修长而白皙的手指动了动，银尘的尸体瞬间被一层剔透的冰块包裹起来，他抬起头，环顾了一下此刻周围死寂的绿岛，剔透的阳光抚摸着他英俊而尊贵的面容。

冰帝，这个国度皇族中最尊贵的至高无上的男人，艾欧斯，他带着银尘的尸体，消失在了茫茫绿色的尽头。……（第十九章）

吉尔伽美什没有预料到的也许只有这一件事……银尘，被带去哪里了呢？

来不及想这么多了。如果他不出手，也许整个亚斯蓝都会被这两头上古魂兽毁灭；当时的【五度王爵】伊莲娜【催眠魂兽】的【天赋】已基本上起不到什么作用，而【七度王爵】费雷尔也支撑不住了，幽冥虽然可以自保，但也是对【宽恕】的逐渐觉醒束手无策。更何况，除了【宽恕】，还有魂力强大数倍的【自由】，在【北之森】的最北部等着他。

……因为，前方离自己不远处的自由，此刻正站在返程棋子的那朵冰雕莲花旁边。它转过身来看着吉尔伽美什，大大的冰蓝色眼眸，此刻已经全部变为了金黄色。它瞳孔里一道金光轻轻一闪，下一刻，它身后峡谷的地面上，一道数米厚的冰墙，仿佛一座小山一般从地面轰然爆炸而出，瞬间耸立入云，把整个峡谷的入口完全封死。也同时，把那朵脆弱的棋子，隔绝在了冰墙的另外一边。……（第十九章）

【自由】决定参战了。【北之森】的另外一边，完成杀戮任务的特蕾娅也出现了，五个【王爵】边努力控制着【宽恕】边等待吉尔伽美什的归来；他们已经无法感受到吉尔伽美什的任何气息，他是否真的还能归来？但其实，究竟需要实施哪一套抓捕计划，才是他们真正关心的吧。

他最终还是不负众望地回来了。

……天地间翻涌爆炸的魂力，如同无数道雷电，在空气里爆炸。

吉尔伽美什高高地悬浮在半空里，他身后旋转的巨大光轮，绽放着万丈金光。十二把巨大的上古大剑，已经从光轮上脱离出去，此刻正在天空里肆意飞舞，交错斩杀着源源不断的血蟒赤舌，一时间，天空里密密麻麻地坠下无数被斩杀成寸断的赤红色残肢断截。

"特蕾娅！告诉我宽恕的魂印在什么地方！"吉尔伽美什在天空里，大声地朝地面吼道。……（第十九章）

伊莲娜和费雷尔已战死，剩下的四个人各自使用了自己的【天赋】，合力收服了【宽恕】。接下来，应当是吉尔伽美什将它收进身体里这一步了吧。一个人的内心究竟要宽阔到什么程度，才能够这样面对已知的命运还能坦然前进？

（六）

【囚禁之地】，其实是一个有许多层封印的监牢，无论内部或外部。

在【囚禁之地】的正上方，坐落着从陆地迁移到地底来的【尤图尔城】，现在已经叫做【尤图尔遗迹】；在这里驻扎着成千上万死去的灵魂，由每一代的【地之使徒】负责收集并带回，共同守护着一枚【黄金瞳孔】；当这枚【黄金瞳孔】被移去【凝腥洞穴】之后，这些亡灵负责守护的就是一个假象，为的就是让制造【侵蚀者】这个秘密不要被火源和地源两国察觉。而刚好，这些亡灵们也成为了锁住吉尔伽美什的第一道封印。

……当白银祭司决定将这里作为囚禁吉尔伽美什的监狱之后，这些数以万计的亡灵，随即转变了职能，变成了看守吉尔伽美什的守狱人。而这一层，同样也设下了强力的启动封印，要启动通往下一层的棋子，只有放满一池鲜血——而谁都知道，唯一拥有这个本事的人，西流尔，已经和第一层的岛屿融为一体了。……（第二十三章）

在【尤图尔遗迹】的正上方是【魂塚】的所在地，通常也是通过特定的【棋子】才能到达；但在【魂塚】的底部，驻扎着上古四大神兽之一【祝福】，如果穿过它，也可以不通过【棋子】，直接到达下方的【尤图尔遗迹】。除此之外，整个【魂塚】就像是一个孕育【魂器】的巨大母体，无数强力的【魂器】都像是有生命般从它的岩壁洞穴里生长出来。号称，只有【使徒】才有资格进入【魂塚】去摘取自己的【魂器】，并且，一旦【使徒】进入过【魂塚】一次，无论是否成功地拿到了强力的【魂器】，他此生永远都不能再次进入【魂塚】了。其实，这也是【白银祭司】不希望有人接近【囚禁之地】的一个谎言，在港口城市雷恩的十七神像那里，通往【魂塚】的那枚【棋子】，是被设了限制的；如果用另一种方法，只需要从【永生之岛】下方潜入海底，穿过一个洞穴，也可以到达【魂塚】。

……作为封印的东西，魂力都会逐渐消耗，当封印的魂力消失之后，这个囚禁之地也就自动失效了。所以，越强力的封印，有效的囚禁时间也越长。而西流尔那种独特的天赋，使得他可以将自己和岛屿融为一体、永生不死，有效的囚禁时间就几乎接近了永恒……他把自己制作成为了一个活体封印。……（第十五章）

所以，在【魂塚】的正上方，便是茫茫的雷恩海域，以及【永生王爵】西流尔多年以来化身而成的【永生之岛】。西流尔利用自己【永生】的【天赋】，只要他还活在这里，这个岛屿便无人能通过，这也是囚禁吉尔伽美什的最后一道封印了。

而【囚禁之地】内部也同样是机关重重。

……在进入最后的洞穴之前，还设下了最后的一个封印，那就是，进入者必先舍弃自己的魂器。而洞穴深处，种植满了亚斯蓝领域上最邪恶的植被，【鬼面女之发】，这种植被，能够迅速将所有出现在它们范围内的黄金魂雾，包括人体内的已经变为魂力的黄金魂雾，吸收干净，并且吞噬血肉。这样，就算去的人带着能产生黄金魂雾的魂器，那么在门口，都必须先舍弃魂器，才能进入。这样，就万无一失了。……（第二十三章）

从这时算起来，吉尔伽美什被整整囚禁了四年。

在这四年里，发生了许多事情，【白银祭司】的计划还在照常进行中，已经等了这么多年，他们更加迫不及待了，于是，【原浆洞穴】诞生了。在这个洞穴中，有一个人头虫身的女体怪物，她的名字叫【浆芝】。

……"刚刚你看见的，那个可以分娩出'高级容器'的生物，叫做【浆芝】，她属于半植物半动物属性，身体的外形兼具女性和昆虫的特点。她没有思想，只有生殖的功能。她能够将种植进她母体内的肉体碎片，复制孕育出和提供肉体碎片的原体一样的复制品，提供的肉体碎片越多越完整，越能复制得近乎百分之百相同。她的强大之处在于，无论原体的肉体是否已经死亡，甚至无论是否已经切割得分不出手脚，只要肉体本身完整，碎片没有丢失，那么，浆芝都能再造出一个，几乎完全一样的肉体。"……（第二十三章）

【冰帝】将银尘的尸体碎片带回来之后，种植在【浆芝】的母体内，并使用自己的【天赋】【摄魂】，复制了银尘的记忆，使他完整地复活了。复活之后，他接替死去的费雷尔，成为了新一代的【七度王爵】，被赋予了崭新的灵魂回路，他的新【天赋】是【无限魂器同调】，因为【魂器】和魂兽属性的共通，这个【天赋】也可以叫做【无限魂兽同调】。而原本的与吉尔伽美什相同的【四象极限】，被封印在他的体内，无法再使用。

然而，因为银尘的身体构造和吉尔伽美什极为相似，而吉尔伽美什又是【白银祭司】认为接近完美的一个容器，所以，银尘的肉身成为了他们制造【完美容器】的模板，除了带着记忆复活的这一个之外，【浆芝】还造出了无数个没有灵魂的银尘，一样的面容，一样的身体，只是有一点不同……

……仿佛海底般不断晃动的蓝色光线里，穿着漆黑长袍的三个一模一样的银尘，面无表情地肃立在石室的中央，他们每一个人的眼睛，都是一片死寂的漆黑。……（第二十一章，备注：神话传说里，全黑眼球者，代表已死之人或者失去灵魂者。）

这三个一模一样的银尘，包括暂时不在场的另外一个，成为了新一代的【一度王爵】修川地藏和天、地、海三位【使徒】；【白银祭司】最得意的是，这样一来，他们四人的身份，谁也无法真正分得清了。

在过去的这些战争和变故中，【王爵】和【使徒】们注定的悲剧命运开始渐渐显露出来，其实，他们不过都是【白银祭司】的傀儡，为其利用，为其生或死；若不小心生得过于完美和强大，更可能会被其抹去灵魂，将肉身占为己有。而真正知道这些秘密的人又能如何？吉尔伽美什偷看《风水禁言录》的时候，故意让偷偷跟在自己身后的特蕾娅也看了，可看了又能怎样呢？对于力量还不够强大的人来说，能做的就只有力求自保吧。

新一代的七位【王爵】，有上一代的幸存者，也有新晋的杰出者，从一度到七度排列分别是：修川地藏、幽冥、漆拉、特蕾娅、鬼山缝魂、西流尔、银尘。故事将要翻开新的一页了。

（七）

还记得那个被艾欧斯在阿切特拉市丢弃，被马车运送到福泽镇，又被一对没有儿女的夫妻所收养的婴儿吗？那个叫麒零的男孩，现在已经长大了，光阴荏苒，他已经长成了一个十五六岁、俊美挺拔的大男孩，是驿站的店小二；因为生性乖巧又伶俐，特别讨人喜欢，尤其是女孩子。大家都说他的气质特别像帝都的人，可是他从小到大却一步也没有离开过福泽镇。他常听一些客人说故事，听到在传说里的魂术师简直无所不能，他便特别羡慕和好奇，终于有一天，他亲眼见到了这些人。不仅仅是魂术师，他还看到了他们如何使用魂术，如何争斗，如何杀人……

……小女孩慢慢地一步一步走下来，走过露雅身边的时候，她轻轻转过头，面无表情地看着露雅，把头轻轻一歪，"那，就先少一个吧。"

然后露雅的头，莫名其妙地，"咣当"一声掉在地上。

她失去头颅的躯干还笔直地坐在桌子面前，甚至手上正在倒茶的动作都还维持着，只是脖子上碗口大的血洞，仿佛一口泉，往外汩汩地冒着黏稠的热血。
……（第一章）

这些人是来抢【冰貂】的。

前一秒还热血沸腾的活人，下一秒就已死相惨烈；来到驿站里的四名魂术师被【骨蝶】莉吉尔【瞬杀】了两个，另外两个在逃出门之后也相继死亡。麒零被吓得够呛，又不敢逃走，就在这时，他遇到了神音。

神音，就是那个被幽冥选择留下来的【侵蚀者】，在格兰尔特神氏家族中寄养了这些年，现在看起来年纪和麒零差不多大小。她对神氏家族并无感情，她不记得自己是个怪物的身世，但却记得对幽冥有仇恨；这些年来，她也一直作为幽冥的【使徒】存在着，对魂术的掌控日益精湛，其实她不可能不知道，【冰貉】根本就不是她的对手，这驿站中所有的人，包括【骨碟】莉吉尔，都不会是她的对手。

可她也没想到，这次来的魂兽不是【冰貉】，而是级别高了数倍的【苍雪之牙】。

……"来的不是冰貉……是【苍雪之牙】……我们得到的情报，都错了呀……"

说完，她的头从中间裂成了两半，两颗眼珠啪啪地爆炸出两朵璀璨的冰花。

神音和麒零在恐惧里僵硬地回过头，不知道什么时候，神斯的胸口，已经爆炸出了一堆巨大而璀璨的冰凌，仿佛汹涌盛开的食人花一样，锋利而坚硬的花瓣，从胸口拥挤而出，内脏和肠子，挂在钻石一般的冰雪上，冒着滚滚的热气，过了一会儿，就结成了冰。……（第一章）

神音带着麒零逃走了，她为什么要带上他一起逃命？也许只是一种莫名的感应吧。他们逃到福泽镇外的森林，最终还是被【苍雪之牙】追上了，神音全力应战，无奈实力悬殊太大，只得使用了【黑暗状态】……

与此同时，在【心脏】里，银尘接到了【白银祭司】的指令，前往福泽镇寻找他的【使徒】麒零。

然而，他却不知道，此刻的麒零，已经因为不知道什么原因，将【苍雪之牙】收为了魂兽。

……银尘的瞳孔渐渐缩小起来，他一步一步逼近麒零，周围的树干上突然结满了寒霜，空气里肆意流动的寒冷气旋，"你问我，什么是使徒？"银尘站在麒零面前，盯着他的眼睛，"你到底是什么人？"

"我……"麒零看着眼前面罩寒气的银尘，之前刺骨的恐惧再一次席卷上来。

"你从来没有听过使徒是什么么？"

"没听过……"

"那你会魂术么？"

"不会……"

银尘看着面前这个英气逼人，但依然没有完全脱去稚气的少年，他的表情充满了恐惧，但却没有心虚。很明显，他说的都是实话。……（第二章）

这段对白一定是像极了吉尔伽美什第一次出现在马戏团里的时候，对银尘说的话，所以在这一瞬间，银尘已对麒零产生了一种异样的感情，但那还不是那种存在于对应的【王爵】和【使徒】之间的灵犀，而仅仅是一种对往事的感怀情绪。他决定耐心一点儿，哪怕麒零什么都不懂，从头教起；他告诉麒零，不用再回福泽镇了，因为那里已经是一片惨状，他会带他回格兰尔特去，带他去【心脏】见【白银祭司】，给他【赐印】，让他正式成为自己的【使徒】。

如果不是【苍雪之牙】突然在麒零的体内翻腾起来并差点儿吞噬了他，可能事情就会是这样顺理成章地进行下去，可现在只能提前进程了……

……"爵印不仅仅是一个印记这么简单。它是我们魂力的最中心，也是我们最脆弱的地方，更是我们运用魂力时的出发点。而且，最重要的是，它是我们的魂兽平时栖居的地方。你知道在你身体上的爵印里，苍雪之牙正乖乖地待在那儿么？如果刚刚我不给你赐印，它在你的身体里就找不到居所，它的魂力和你的魂力没办法共存，最后的结果不是你死，就是它死。"……（第二章）

【赐印】结束之后，银尘开始教给麒零运魂的方式，除此之外，还有许多需要教给他的东西，可能用上许多年也教不完；想当年，自己在【雾隐绿岛】学习了两年，还是连敌人的一根手指都敌不过。麒零已经有魂兽了，接下来，该带他去【魂塚】，取一件属于他自己的【魂器】。之前已经接到【天格】传来的【白讯】，麒零应该拿到的【魂器】是【回生锁链】。

（八）

　　银尘并不知道，在他从【心脏】离开去福泽镇的时候，一个足以影响这一代所有人命运的变故发生了——三位【白银祭司】中的一位，竟逃离了水晶石壁，驻扎在一个少年的身体里，出走了，现在正和【五度王爵】鬼山缝魂在一起。余下的二位【白银祭司】唯恐他将他们的秘密传出去，立刻对【天格】下达了【红讯】，追杀鬼山缝魂和他的【使徒】鬼山莲泉。特蕾娅叫来幽冥，对【王爵】的杀戮计划，当然要由【杀戮王爵】来完成。

　　那些多年以前的秘密如果传出去，谁都猜得到后果；最坏的后果，就是有人去营救吉尔伽美什。所以二位【白银祭司】重新布置了一套新的方案。先下达了三道错误【白讯】，让鬼山莲泉、麒零、天束幽花三位【使徒】同时去【魂塚】拿同样的一件【魂器】，最好自相残杀。接着将【魂塚】出口的两枚【棋子】全部改为通往死亡之城【尤图尔遗迹】，如果三人之间有幸存者，也会在【尤图尔遗迹】中被亡灵所杀，或者永远被困在里面。这样，无论是知晓了吉尔伽美什被困秘密的人，还是拥有可以解除【尤图尔遗迹】中最后一个封印的人，还是可以用【无限魂器同调】的【天赋】而携带其他【魂器】进入【地狱之门】的人，都不会存在了。

　　这样一来，所有能预料到的、不能预料到的事情，仿佛都已在【白银祭司】的掌控之中。所以，先从第一步开始实施吧，幽冥的魂兽【诸神黄昏】已经前往福泽镇的森林寻找鬼山缝魂和出逃的【白银祭司】了。

　　……遥远的天空上月光一片皎洁，从没有丝毫云朵遮盖的天空向下望去，一片静谧的原始森林中间，一条如同雄浑山脉般巨大的黑色蜈蚣，正缓慢地爬过，所到之处，树木交错断裂，像是一条巨蟒爬过草地后留下的痕迹一样……泥土碎石沿着它路过的地方四处迸射，成千上万条巨大的腹足交错起伏地砸向地面，大地的裂缝交错蔓延，像是冰面的裂痕一样四处崩坏……（第三章）

　　神音也已经在雷恩找到了鬼山莲泉，莲泉战不过，召唤出【第一魂兽】【海银】，以找到逃脱的间隙，从十七神像的【棋子】逃入了【魂塚】。

　　……四处旋转的斑斓光芒，把幽深而巨大的空旷洞穴映照成一片游离的璀

璨。

鬼山莲泉浑身鲜血地倒在一块岩石上，巨剑横在一边。

涣散的意识，失去焦距的瞳孔，她的胸腔剧烈地起伏着，喉咙里模糊而又黏稠的血浆，像要窒息般地掠夺着她的生命。……（第三章）

莲泉一定是感应到了，她的哥哥鬼山缝魂现在正处于巨大的危险当中；没错，鬼山缝魂带着出走的【白银祭司】，刚从炼狱一般的【深渊回廊】里生还，却又遇到了前来对他实施杀戮的幽冥。他们的魂力级别相差太大了……幽冥甚至可以突破缝魂身体的屏障，直接操控他体内的水……若不是【白银祭司】，那个承受不了灵魂巨大腐蚀性、已经处在垂死状态的小男孩对幽冥出手，他们一定会死在这里。

他们暂时安全了。

其实现在最危险的是麒零，他在雷恩的庆典上不小心冲撞了天束幽花，而被追赶到十七神像，银尘还没来得及告诉他那里的危险和需要注意的事项，他便误打误撞地进入了【魂塚】，完全按照【白银祭司】的设想，天束幽花也紧跟了进去。

……此刻，除了银尘和天束幽花之外，遥远地平线上的遥远夜空中，还有一个银白色的身影如同流星一般朝着十七神像飞快急行，仿佛坠天的陨石一般，往雷恩降落。（第四章）

（九）

被【白银祭司】粉碎一条手臂的幽冥躲在【深渊回廊】的一个洞穴里，神音一路历尽凶险找到他，带他去黄金湖泊疗伤，看着这个有着英俊而邪恶面容的男人仿佛重生一般，闪着光芒走上岸来，她在想什么？要报仇吗？原来她都还记得。

……神音捏着手里的绿色宝石，没有说话，也没有递给幽冥，没有人知道她在想什么。

而下一个瞬间，她突然看见幽冥的瞳孔急剧收缩成线，然后空气里一声尖锐的弦音刺痛她的耳膜，随后她看见视线里，像是时空变得缓慢一样，无数血珠慢镜般飞扬在空气里，同时飞扬起来的，还有那块碧绿的宝石，以及自己握着那块碧绿宝石的右手。

"什……什么……"神音低下头，看见自己齐腕断处的那个整齐的圆形伤口不断往外喷血，自己的手刚刚已经被幽冥无形的魂力瞬间斩断了。……（第五章）

可惜却被幽冥立刻看穿了。

……头顶传来幽冥的声音，沙哑而又动人，"你应该知道，如果你想要复仇，还远不是时候吧。"……（第五章）

幽冥的实力过于强大，这使得神音明白，要想报仇，只能不断地去战斗，通过战斗来不断完善自己；因为她的【天赋】是【进化】，每一次被攻击，灵魂回路都会重新建立、分支、修复、完善，并逐渐趋向完美，甚至好像将肉体重新切割编织；以前灵魂回路里的缺陷和弱点，都会随着每一次不同的攻击而逐渐地改进。这是她唯一能走的路了，她想，如果可以拥有像西流尔那样【永生】的【天赋】，就可以更加肆无忌惮地承受攻击了吧。于是，她踏上了寻找早已失踪多年的【六度王爵】西流尔的路途。

没有人关心神音。因为她的存在或消失都不能引起什么不得了的麻烦，她永远都是孤独的一个人，连她的【王爵】幽冥都会很长时间记不起她的存在。

现在所有人的注视的焦点都落在【魂塚】里的三个【使徒】身上，因为要去拿同一件【魂器】，在莲泉和天束幽花之间必然会有争斗，可是还有麒零，他仿佛与生俱来的那种亲和的能力，总是能适当地调和别人的怒火；若不是他，三人也不会都顺利拿到自己的【魂器】，并齐心协力逃脱了【祝福】的攻击，最终一起来到离开的两枚【棋子】前。

……"这到底是哪儿？"天束幽花看了看麒零和莲泉，又看了看这座巨大的陵墓般的古城，声音像被寒风吹打着的落叶。

"这就是你把我推进来的'死亡'。"莲泉冷冷地说。

"可是我明明摸的是另外一颗棋子……"说到这里，幽花停下来不敢说下去。

莲泉没有继续理她，转身环顾了一下周围，"也许银尘和缝魂他们说的'死亡'并不是指只要触摸了棋子就会死，而是指这棋子会通向一个邪恶之地，就等于通向了死亡。"……（第七章）

和计划中的一样，那枚通向【深渊回廊】的【棋子】，指向被改动过了，麒零、莲泉和幽花三人殊途同归，一起来到了【尤图尔遗迹】；这个时候，遗迹中的亡灵都还在，他们甚至遇到了不久前死去的【骨碟】莉吉尔……但很快，这些亡灵会在一瞬间被清空，这里将会变成一座名副其实的空城。事情就发生在漆拉从莉吉尔手中带走三个【使徒】之后不久。

……尤图尔遗迹的每一寸土地上，此刻随着那个巨大的魔法阵翻涌不息的绿色幽光，仿佛有无数的散发着碧绿幽光的毒蛇从地底出来，空气里，类似莉吉尔这样的成千上万的亡灵，在一个瞬间，全部灰飞烟灭，无数的灵体支离破碎，无数的魂兽撕裂爆炸……

鬼哭狼嚎回荡在整个遗迹的上空，仿佛要把整个空间震塌。

片刻之后，整个遗迹成了一片死寂而干净的废墟。

小男孩站起来，轻轻地拍了拍手，瞬间虐杀完了成千上万个莉吉尔那样的幽灵之后，他仿佛做了个小小的游戏一般，耸了耸肩膀。……（第七章）

这个小男孩是谁？他带着三个看似【使徒】一般的人，仿佛他就是【一度王爵】修川地藏；可他并不是，修川地藏，应该是和银尘长得一模一样才对。他是计划以外的人吗？是【白银祭司】没有预料到的人吗？当三个【使徒】一起活着进入【尤图尔遗迹】的时候，【白银祭司】该有多么的紧张啊——进入【囚禁之地】，打开【地狱之门】的所有条件，等于都备齐了。所以，漆拉的及时出现，并不是为了救他们，而是为了阻止他们接近吉尔伽美什而已。那么，就更没有必要清除所有的亡灵了……他们的存在，才能加大解救吉尔伽美什的难度啊。

既然不是【白银祭司】派来的，那个小男孩，是其他国家的人吗？

……然后他转过头，用他碧绿的瞳孔，望着身后的三个使徒，说："那么，接下来的事情，就交给你们了。找到它。"……（第七章）

他们是来寻找【黄金瞳孔】的吧。小男孩头上戴着的镶满黑色钻石的白银头冠，和【一度风爵】铂伊司的头冠，长得一模一样；也许，他是风源的【王爵】，谁知道呢。

（十）

……在他们面前，是已经死去的白银祭司，他那副小孩子的身形，此刻已经只剩下一层透明的壳，仿佛是蝉蜕般，空留下一个完全没有生命的寄居躯体。小孩子前一刻还仿佛琥珀般温润而精致的双眼，现在只剩下两个黑黢黢的空洞眼眶，本应是眼球的眼窝深处，此刻是两个深深的空洞，此刻从里面正幽幽地冒着白色的森然冷气。

"他们……到底是什么东西？"鬼山缝魂恐惧地问，"那帝都心脏里还剩下的两个白银祭司……也……也是这种东西么……"……（第八章）

出走的【白银祭司】终于在死去之前见到了银尘，并告诉他吉尔伽美什还活着的确切消息；其他的所有秘密，他之前已经全部告诉了鬼山缝魂，除了《风水禁言录》。他们当然决定要救出吉尔伽美什，银尘是为了自己的【王爵】，为了过去而战；缝魂则是希望通过揭露这一系列的秘密来改变自己，乃至整个亚斯蓝的命运。

他们知道，这将是一场无法避免的战斗，也许就是这场战斗，才能使银尘的复活变得有意义。

漆拉、缝魂、银尘、莲泉、幽花、麒零，六个人在【深渊回廊】碰头之后，回到雷恩的客栈，他们讨论了这段时间以来发生的大家都不能理解的事，包括错乱的【白讯】，被改动过的【棋子】，以及漆拉会突然出现在【尤图尔遗迹】的原因，关于这些，漆拉都一一给出了答案，但其实他全部撒了谎。

……"银尘，其实，你也是一个极端深藏不露的人，你不比任何人傻。而且你比任何人都懂得装傻。你知道么，我一直怀疑，其实吉尔伽美什早就死了，而你早就是继承了上一代一度王爵全部灵魂回路的人。因为格兰仕和东赫，都已经战死在了当年的那场浩劫里，唯一还有机会继承吉尔伽美什那套'不应存在的天赋'的灵魂回路的人，就只剩下你了。"漆拉望着银尘的眼睛，目光像是锋利的

匕首般企图插进银尘的灵魂，"你说我说得对么？路西法。"……（第八章）

除【白银祭司】之外，最了解吉尔伽美什是死是活的人就应该是漆拉，四年前，是他亲手将他通过一枚早就做好的【棋子】传送到了【囚禁之地】；漆拉一定也曾进入过【地狱之门】，因为他曾说过，【棋子】只能通往制造者去过的地方，制造者没有去过的地方，是不能制作出【棋子】直接到达的。

所以他在撒谎；他说的每一句话几乎都是谎言，到底是什么原因，使他对【白银祭司】如此地顺从，即使过了这么多年，还依然用各种谎言填补着那个秘密呢？

即便如此，【白银祭司】还是不能信任他，最新的一条【红讯】里，连他的名字都有。

……"你是说，白银祭司同时下达了对银尘、漆拉、鬼山缝魂、鬼山莲泉、麒零、天束幽花六个人的杀戮红讯？"幽冥看着斜躺在自己对面的四度王爵特蕾娅，邪气地笑着，"你不是在开玩笑吧？"

"这种事情，谁会开玩笑呢？"特蕾娅望着幽冥。……（第八章）

果然，知道秘密，或者可能会知道秘密的人，无论能力是强是弱，还是都必须要死。为了赶在死亡之前找到【永生王爵】西流尔，解开囚禁吉尔伽美什的第一道封印，鬼山兄妹已提前赶往【永生之岛】；银尘为了寻找失踪已久的格兰仕，带着麒零和幽花，和漆拉一起重返【尤图尔遗迹】。他们发现【尤图尔遗迹】的可怕变化了，亡灵们都消失了；而这个时候，如果利用幽花的【永生天赋】，找到那个祭坛，其实是有机会解开最后一道封印，进入【囚禁之地】的，而且，合众人之力，说不定真的可以救出吉尔伽美什，但是……

……"既然这样，我们先别贸然地闯进去，谁都不知道里面发生了什么。"漆拉转过身，抬起头，望了望头顶黑漆漆的上空，"我们需要一个能够大面积探测魂力的人。我恰好知道她在哪儿。"

说完，漆拉抬起手，轻轻地放到左边那扇巨大的石门上，他掌心里涌动出金黄色烟雾，将那扇门的表面覆盖起来。瞬间，一枚新的棋子诞生了，"来吧，这枚棋子，会带我们去她那儿。"（第十二章）

漆拉阻止了他们进一步的探知，反而做了一枚【棋子】，带他们去【永生之岛】找特蕾娅。是的，神音也已经登上了那片岛屿，她被魂兽【山鬼】攻击，霓虹救了她；而特蕾娅和幽冥也正为了神音的事情，来到了岛上。就在这么一个时刻，也许是天意，也许是巧合，亚斯蓝除了【一度王爵】修川地藏和他的天地海三【使徒】之外，所有现存的二度到七度的【王爵】【使徒】，都会聚到了这个岛上来了。

（十一）

这是鬼山兄妹的背水一战。

……"起！！"鬼山莲泉和鬼山缝魂突然大吼一声，两个人睁开他们的双眼，他们的眼睛全部变成了血红的颜色，甚至发出骇人的红色光芒，莲泉跌坐在闇翅羽毛柔软的后背上，嘴角沁出一丝鲜血，但是她依然咬牙维持着巨大的魂力消耗，而她身边的鬼山缝魂，如同一位高大的战神一样，迎风而立，喉咙里发出暴风般的怒吼。

神音和幽冥异口同声地大喊："糟糕！"……（第十三章）

他们几乎是用尽全部魂力，催眠了几乎整个海洋周围的魂兽，使它们暴动起来，接着，缝魂一个人竭力支撑，而莲泉趁乱赶在特蕾娅之前找到了【永生王爵】西流尔的心脏，并唤醒了他。西流尔在听完莲泉告诉他，只有救出吉尔伽美什，才有机会拯救整个亚斯蓝之后，便决定牺牲自己。

……"可能是因为他相信了我的话，也可能是因为他对永恒的生命已经厌倦了。或者说，他自己其实并不想成为一个永恒的封印。所以，他解脱了自己。而且，他告诉我，前往囚禁吉尔伽美什之地的方法。之前我只知道，吉尔伽美什被囚禁在这个岛屿之下，但是，当西流尔告诉了我详细的情形之后，我才意识到，在白银祭司心中，吉尔伽美什肯定已经强大到了不得不永远封印他的地步，否则，他们不会制造出那么恐怖的、几乎毫无生还机会的一个牢笼。"……（第十五章）

在西流尔结束自己生命的瞬间，整个岛屿坍塌了，鬼山莲泉从翻腾的海面中一跃而起，成为了新一任的【六度王爵】。特蕾娅见此情形，立刻以【天格】的身份对幽冥、漆拉、银尘、霓虹、神音五人下达了杀戮莲泉的【红讯】；鬼山缝魂知道时机已到，就是现在，他突然向霓虹冲过去，仿佛同归于尽般地拼死一击。

　　……"你们杀了我哥哥……你们联手杀了他……不过没关系，他不会就这样孤零零地死去的……我会去陪他。但是在这之前……今天，我要你们所有人都在这里给他陪葬。"

　　"幽冥，你现在杀不死她了……"特蕾娅看着仿佛天神般冷漠的鬼山莲泉，嘶哑地说，"她现在是五度王爵，也是六度王爵……她是亚斯蓝历史上，第一个身兼双王爵的人……"

　　所有人的心都仿佛脚下的岛屿一般，沉了下去。……（第十四章）

　　鬼山缝魂死了，换来了同时拥有四套灵魂回路、两个【王爵】身份的鬼山莲泉；她还活着，她会替哥哥报仇，也会接着去完成哥哥尚未完成的使命。于是，她带着银尘走了，他们在雷恩海域的一个无名小岛降落，待魂力恢复之后，便开始了对吉尔伽美什的营救行动。

　　其他人都散去了。

　　麒零和幽花就好像两个无家可归的小孩，骑在【苍雪之牙】的背上，回到了雷恩的客栈住了一晚；麒零知道了幽花的身世，对她充满了温柔的同情，但是，这并没有什么用处。第二天，【冰帝使】来客栈找到了他们，请他们去雷恩的教堂集合，与其他【王爵】和【使徒】一起去格兰尔特，理由是：【冰帝】艾欧斯失踪了。

　　其实，这里除了他俩，早就没有其他人了。麒零以为可以很快再次见到银尘，他也以为错了。

　　……他一步一回头地离开了雷恩，前往帝都。

　　少年背着自己的行囊，日渐挺拔的身躯，渐渐消失在海风的尽头。只是他并不知道，这一别，就和银尘别了那么漫长的岁月。

　　从此之后，多少年，他们都再也没有相见过。……（第二十章）

因为银尘死了。

他和莲泉一起，先是潜入雷恩海域的海底，通过洞穴到达【魂塚】；再用催眠和隐藏魂力的办法骗过了【祝福】，到达了【尤图尔遗迹】。莲泉用自己的血灌满了整个祭坛的池子，破除了最后一道封印，使得通往【囚禁之地】的那枚【棋子】显露出来。

只有最后一步出现了差错，那枚【棋子】上被设下了限制，每次只能有一人通过，并且通过之后，【棋子】会立刻消失。

所以，银尘一个人来到了囚禁吉尔伽美什的【地狱之门】。

一切都像之前特蕾娅对幽冥描述的一样凶险，甚至比想象的更加凶险。但是，如何找到并唤醒吉尔伽美什，银尘已经知道了，他并不怕死。

……"就算拯救不出他来，那么和他一起被永远囚禁着，或者死在一起，也好啊。"银尘在高高的山崖上，迎着风，含着眼泪微笑着说。

当时，他脸上的表情，不是绝望，不是悲痛，不是愤怒，也不是怨恨。

而是一种带着悲伤的期待。……（第二十二章）

至少在死去之前，已经将可以产生【黄金魂雾】的那枚【黄金源泉】放入了吉尔伽美什的体内，虽然银尘最后看见的，依然是他的【王爵】熟睡的神态和安静的身影——直到最后，吉尔伽美什的双眼依然紧闭着，但当那颗小球被他的身体容纳了之后，银尘的心中，一定是充满了希望的。

（十二）

银尘死亡的瞬间，第一个感应到的是麒零，他仿佛被人敲打了一下，大脑一片空白；他想冲出去找银尘，但被白银使者拦住并打倒在地，就在这时，他的体内开始迅速复制一套新的魂路，无数崭新的魂路如同经络般密密麻麻地划分着他的身体。他诞生成为了新的【七度王爵】，虽然他并不想这样，他宁愿一辈子跟在银尘的身后，做一个小小的【使徒】，就足够了。其实银尘对吉尔伽美什的感情，也是完全一样的。

又一场宿命的轮回开始了。

……"情报是关于吉尔伽美什的，西流尔岛屿已经全范围崩塌，并且，吉尔伽美什已经从当初囚禁的牢狱里逃脱了，整个辽阔的雷恩海域，所有的黄金魂雾，都在以旋涡式的汹涌程度，朝着吉尔伽美什而去，他应该是在吸收储备，积累到他的峰值。这场黄金魂雾的旋涡风暴还在持续，谁都不知道吉尔伽美什魂力的上限是多少。目前，这条消息的准确度，被确认为百分之九十五以上。"……

……"银尘已经死亡。"……（第二十三章）

故事接近了尾声，整个庞大阴谋的起源是《风水禁言录》，也该在这里画上一个句号。但活着的人们，将会走向什么样的结局呢？

特蕾娅从一个神秘男子那里得到一系列的情报。

莲泉和神音，都被修川地藏的【使徒】带回【心脏】，作为【白银祭司】新一轮的实验品，正承受着巨大的痛苦。

特蕾娅把《风水禁言录》的全部内容讲述给幽冥，并告诉他，至此为止，亚斯蓝的魂术师们分为了四个阵营，前三个，分别以吉尔伽美什、【白银祭司】、【冰帝】艾欧斯为首，最后一个，是她自己。

……特蕾娅转过身，慢慢地往她的天格走去了，她没有回头，只是冷冷地抛下一句"究竟加入哪边，你想好哦"，她包裹在长袍中的曼妙身影渐渐消失在风雪的尽头。……（第二十四章）

《临界·爵迹》（I-II）完。

幽冥会加入特蕾娅的阵营吗？

之后的特蕾娅是继续力求自保，还是转变为主动呼风唤雨？

吉尔伽美什会找到已经化身【饕餮】的格兰仕，回来复仇吗？

银尘还会再一次复活吗？他会和麒零再次相见吗？

鬼山莲泉和神音会被种植新的灵魂回路，成为强大到变态的人吗？

身为【零度王爵】的麒零，什么时候才能发挥他的真正实力呢？

一定还有很多未知的答案在等待着被揭开，故事还将继续。

分章详解

序章：神遇

• **标题释义：**

　　艾欧斯看着面前的银发少年，他身后是那个巨大的黑色洞穴，看起来仿佛来自地底的怪兽正准备将他吞噬一般。他的笑容又温暖又美好，却又似乎带着一种因为温柔而显示出的淡淡悲伤——就如同风中弥漫着的、来自他身上那种类似阿鹿斯港香料般的柔和香味。

　　多年以后，艾欧斯每次回忆起这个场景，都觉得像极了一个阴暗的预言，一个漆黑的，灵犀一照。

• **大事件：**

时间：很多年以前

地点：极北之地，亚斯蓝和因德交界处

人物：少年艾欧斯 少年铂伊司

事件：两人的第一次相遇，艾欧斯被一种无形的力量召唤，独自跑到风源和水源的交界处，差点儿被一个未成形的【侵蚀者】杀死，铂伊司及时出现救了他。仿佛从这里开始，一切就是注定的。

第一章：第三个红点

• **标题释义：**

　　"银尘，我们需要你前往这个小镇，寻找一个叫做麒零的少年。他是最新的一个使徒。"

　　"好，我现在就去。"银尘抬起头，看着水晶深处沉睡着的三个祭司，又看了看地图上那三个正发出血红光亮的红点，他如同冰雪般冷漠而完美的脸上，露出了微微复杂的表情。他动了动他刀锋般薄薄的嘴唇，说："但是祭司大人，为什么，会有三个王爵出现在这个小镇上？"银尘的瞳孔像是白银一样。

　　"错了。银尘，你前往那里，那里只会有你一个王爵。这三个看上去具有王爵魂力级别的红点，一个是魂兽苍雪之牙，一个是你的使徒麒零。"

　　"还有一个呢，那个红点，"银尘望着沉睡在水晶里的祭司，一字一句地问，"它是什么东西？"

　　（第三个红点：代指除麒零和【苍雪之牙】以外的另一个魂力可以媲美【王爵】的人，在本回中，第三个红点是神音。）

• **大事件一：**

时间：现在

地点：福泽镇•驿站

人物：金斯 露雅 托卡 流娜 莉吉尔 麒零 神音 神斯

事件：店小二麒零第一次见到真正的魂术师。众人为争夺传说要来的【冰貉】开战，莉吉尔杀死金斯、露雅、托卡和流娜，但自己被真正来了的【苍雪之牙】杀死。接着，神斯家族同样被【苍雪之牙】所杀，神音带着麒零逃走。

• **大事件二：**

时间：现在

地点：心脏•预言之源

人物：白银祭司 银尘

事件：【白银祭司】指点银尘前往福泽镇寻找他的【使徒】麒零，银尘对地图上出现的第三个红点产生了疑问。

第二章：赐印

• **标题释义：**
　　所有的魂术师身上，都会有一个印记，这个印记根据每个人使用的魂术不同，会出现在身体不同的位置上，也会有不同的形状。而【王爵】和他的【使徒】身上的这个印记，被称为【爵印】，【王爵】和自己【使徒】身上的【爵印】是一模一样的，也在同样的位置。
　　【王爵】把【使徒】寻找到之后，带回帝都格兰尔特，赐予【使徒】【爵印】的仪式，叫做【赐印】。

• **大事件一：**
时间：现在
地点：福泽镇外·森林
人物：神音 麒零 苍雪之牙 银尘
事件：神音与【苍雪之牙】对战失败，【苍雪之牙】跑入麒零体内变为麒零的魂兽，神音不知去向。银尘与麒零相认，确立【王爵】与【使徒】的关系并给他【赐印】，带他走进魂术师的世界。

• **大事件二：**
时间：现在
地点：港口城市雷恩
人物：神音 鬼山莲泉
事件：莲泉打抱不平对战雷恩第一魂术世家并将其主人杀死，之后神音接到【红讯】追赶至雷恩，对莲泉进行杀戮。

第三章：灵犀

• **标题释义：**
　　"王爵和使徒的感情，是很复杂的，和亲情不同，和友情也不同，如果硬要说，刚开始接触到的人，会觉得和爱情比较类似，独占的、毁灭性的、至死不渝的一种情感。这种感情本来在人类的情绪里就是没有的，所以我也只能用爱情和性欲，来给你作一个比喻……
　　"到了后期，准确地来说，可能称呼这种感情为'灵犀'更为适合吧，彼此心意相通，感同身受。"

- **大事件一：**
时间：现在
地点：港口城市雷恩
人物：神音 鬼山莲泉
事件：神音追杀莲泉，莲泉不敌；危急关头，莲泉释放出【第一魂兽】【海银】，并借机逃入【魂塚】。

- **大事件二：**
时间：现在
地点：福泽镇外·森林
人物：银尘 麒零
事件：银尘教给麒零运用魂力的方式，幽冥的魂兽【诸神黄昏】从森林中经过，银尘将麒零压在身下保护，自己隐藏起魂力，还是被【诸神黄昏】巨大的杀伤力所伤。

第四章：生魂

- **标题释义：**
　　"魂术的本质，就是运用自己身体里的魂力，和外界的各种元素产生感应，从而达到普通人类用肉体无法完成的"奇迹"。而亚斯蓝帝国疆域上的魂术师，天生体内的魂力，就是水属性的，所以对水、冰、雾、汽这一类的事物，具有出类拔萃的控制力。不过这种对元素的控制力，对魂术师来说，都像是喝水、眨眼睛、抬头这类动作一样，几乎是一种生命的本能。

　　就像你出生之后，没有人教过你如何眨眼，但是你生来就会；没有人教过你如何呼吸，但是你生来就会。魂术也是一样的。"

- **大事件一：**
时间：现在
地点：福泽镇外·森林
人物：银尘 麒零
事件：银尘教麒零运用魂术洗晒衣服，以及如何召唤和收回魂兽，并告诉他魂术的本质；两人在相处中已逐渐产生"灵犀"。

- **大事件二：**
时间：现在

地点：西南天格据点

人物：银尘 黑袍人

事件：银尘希望从【天格】获得关于【诸神黄昏】为何会出现在福泽镇外森林的答案，黑袍人拒绝告知。

• **大事件三：**

时间：现在

地点：深渊回廊

人物：鬼山缝魂 神秘少年 幽冥

事件：幽冥奉命对鬼山缝魂进行杀戮，缝魂所救的神秘少年用魂力粉碎了幽冥的一条手臂，缝魂得救，幽冥逃走。

第五章：黄金魂雾

• **标题释义：**

　　【黄金魂雾】是魂力的物质体现。魂力弥漫在这个世界上的每一个地方，区别只在于浓度。

　　平时【黄金魂雾】都是看不见的，只有用"希斯雅"果实的汁液洗过的瞳孔才能看见。【黄金魂雾】的来源关系到整个大陆魂力的根本。任何的人或兽，如果长期处于高浓度的【黄金魂雾】之中，那么，一定会产生异变。这种异变会随着【黄金魂雾】通过呼吸、渗透、肌肤附着等方式进入人的身体而日渐发生。【黄金魂雾】在体内不断流动，就会慢慢地形成各种魂力回路，在身体上产生金色刻纹。

• **大事件一：**

时间：现在

地点：港口城市雷恩

人物：银尘 麒零 天束幽花

事件：银尘给麒零用"希斯雅"的汁液滴了眼睛，使他能看到【黄金魂雾】；之后，因为想要去看雷恩的庆典，麒零丢下银尘在客栈独自前往，却无意中冲撞天束幽花，好不容易逃脱，又被人群撞进了通往【魂塚】的【棋子】。银尘在感应到之后迅速赶往十七神像，同时前往的还有天束幽花，以及另一个银白色的影子。

•大事件二：

时间：现在

地点：深渊回廊

人物：神音 幽冥

事件：神音一路斩杀越来越强的魂兽前往【深渊回廊】的深处寻找幽冥，用【死灵镜面】保护幽冥去黄金湖泊再生手臂。幽冥恢复之后，斩掉了神音的一只手，并警告她，复仇的时候还没到。（幽冥和神音之间的冤仇在第十六章中详细阐述）

第六章：大天使

•标题释义：

每届【一度王爵】都拥有三位【使徒】，分别是【海之使徒】雾涅尔，【地之使徒】米迦勒，还有就是【天之使徒】路西法。其中以【天之使徒】路西法为最大，也被称做【大天使】。

银尘是吉尔伽美什的【天之使徒】，也就是四年前的【大天使】。

•大事件一：

时间：现在

地点：雷恩海域•魂塚

人物：麒零 莲泉 幽花

事件：麒零进入【魂塚】后遇到莲泉，跟着她一起寻找【魂器】，莲泉拿到【回生锁链】，与同来拿【回生锁链】的幽花结仇，大家并不知道是【白讯】出了问题。争执中，幽花说出银尘为救麒零向自己下跪的事，并骗莲泉说出口的两枚【棋子】被调换了。

•大事件二：

时间：现在

地点：深渊回廊

人物：银尘 鬼山缝魂 幽冥 神秘少年

事件：缝魂把银尘从雷恩带去【深渊回廊】见那个神秘少年，途中银尘与幽冥相遇，银尘是【大天使】的身份开始被揭露。接着神秘少年说出了银尘的身世。

第七章：尤图尔遗迹

• **标题释义：**
　　庞大的古城仿佛一座巨大的坟墓。
　　这座遗迹不知道从什么时候流传下来，而且，也从来没有在亚斯蓝的历史上听说过有这样一座巨大的古城存在过。

　　尤图尔遗迹的每一寸土地上，此刻随着那个巨大的魔法阵翻涌不息的绿色幽光，仿佛有无数的散发着碧绿幽光的毒蛇从地底出来，空气里，类似莉吉尔这样的成千上万的亡灵，在一个瞬间，全部灰飞烟灭，无数的灵体支离破碎，无数的魂兽撕裂爆炸……

• **大事件一：**
时间：现在
地点：雷恩海域•魂塚
人物：麒零 莲泉 天束幽花
事件：莲泉拿到了【回生锁链】之后，天束幽花也找到了自己的【冰弓】，在试用的时候无意吵醒了处于【魂塚】底部的上古四大神兽之一：【祝福】。三人联手从【祝福】手中逃脱，本想通过【棋子】前往【深渊回廊】，没想到两枚【棋子】都通向了【尤图尔遗迹】。

• **大事件二：**
时间：现在
地点：深渊回廊
人物：银尘 缝魂 神秘少年
事件：神秘少年就是【白银祭司】。隐藏的秘密逐渐展开，身为上一代【天之使徒】的银尘，身体里拥有两套灵魂回路，那么他赋予麒零的是哪一套呢？【白银祭司】告诉银尘，吉尔伽美什还活着，他知道他在哪里吗？会去解救他吗？

• **大事件三：**
时间：现在
地点：尤图尔遗迹
人物：麒零 莲泉 幽花 莉吉尔 漆拉 不明男孩及其三位随从
事件：【骨蝶】莉吉尔的亡魂出现在【尤图尔遗迹】，企图杀死麒零三人，幸好漆拉及时出现。在漆拉赶走莉吉尔、带走麒零三人之后，一个戴斗篷的神秘男孩带着三名随从出现，【瞬杀】了千万个幽灵。他是【一度王爵】修川地藏吗？或者是其他国家的【王爵】？

第八章：遥远的血光

• **标题释义：**

　　"你是说，白银祭司同时下达了对银尘、漆拉、鬼山缝魂、鬼山莲泉、麒零、天束幽花六个人的杀戮红讯？"幽冥看着斜躺在自己对面的四度王爵特蕾娅，邪气地笑着，"你不是在开玩笑吧？"

　　（遥远的血光：代指对六个人的杀戮命令。）

• **大事件一：**
时间：现在
地点：深渊回廊
人物：银尘 缝魂 白银祭司 神秘少年 漆拉 莲泉 麒零 幽花
事件：身为【白银祭司】的神秘少年在银尘和鬼山缝魂面前骇人地死亡，【白银祭司】到底是人还是怪物？漆拉将莲泉、麒零和幽花从【尤图尔遗迹】救出后，与银尘和缝魂在【深渊回廊】会合。

• **大事件二：**
时间：现在
地点：帝都格兰尔特
人物：漆拉 银尘 缝魂 莲泉 麒零 幽花
事件：众人一起回到格兰尔特，讨论了一下过去这段时间发生的怪事，决定去询问【四度王爵】特蕾娅。在格兰尔特期间，银尘告知麒零二人共同的【天赋】，并坚定地告诉麒零，吉尔伽美什依然活着。

• **大事件三：**
时间：现在
地点：天格内部
人物：幽冥 特蕾娅
事件：【白银祭司】同时下达了对银尘、漆拉、鬼山缝魂、鬼山莲泉、麒零、天束幽花六个人的杀戮【红讯】，幽冥和特蕾娅讨论如何实施杀戮计划，特蕾娅并不担心，仿佛藏有秘密武器。

第九章：侵蚀者

• 标题释义：

【侵蚀者】：所谓的【侵蚀者】，其实和被【赐印】的【使徒】在基本性质上是一样的，【使徒】是被【王爵】赐予与【王爵】相同的灵魂回路，而【侵蚀者】是从出生就在身体里被种植了各种灵魂回路的试验品。

每一代的【侵蚀者】有几百个，有些因为体内种植下的灵魂回路并不完善而死亡，有些因为灵魂回路太过变态和黑暗而死亡。【侵蚀者】身体里的灵魂回路，是亚斯蓝领域上，从来都没有出现过的崭新的回路，所以，【侵蚀者】的力量和【天赋】，都和以前的【王爵】不一样。【侵蚀者】的使命，就是对【王爵】的杀戮，维持七个【王爵】的魂力永远都是亚斯蓝的巅峰。

（有关【侵蚀者】存在的终极意义，详细可参见第二十四章。）

• 大事件：
时间：十二年前
地点：深渊回廊·北之森
人物：漆拉 鹿觉 幽冥 特蕾娅
事件：还是【一度王爵】的漆拉带【天之使徒】鹿觉前往捕捉【电狐】失败，在等待捕捉【第二魂兽】【铜雀】的时候，却眼睁睁地看着【铜雀】被还是不明少年少女的幽冥和特蕾娅先一步杀死，从而展开一场战斗。特蕾娅使用【黑暗状态】而差点儿失控，幽冥救了她，他们作为【侵蚀者】的身份逐渐被铺展开来。

第十章：噬魂兽

• 标题释义：

和漆拉一起下船之后，他们沿着海岸缓慢地走着。漆拉一边走，一边感应着这个岛屿上的魂力。他的眉毛在烈日下轻轻地皱着，没人知道他在想什么。

巨大的日光从头顶贯穿而下，仿佛来自天界的光芒之间，准备惩罚人间的罪孽和邪恶。

所有的秘密都在海平面下蠕动起来。

沸腾的海水翻滚着，汹涌着，周围各种锐利的黑色礁石彼此交错，仿佛企图吞噬所有生命的怪兽的口器。

（噬魂兽：代指的是这个岛屿，几乎是瞬间吞噬了三个【一度使徒】的性命，而【永生王爵】西流尔的肉身也葬身在此，不久之后，这里还会成为【王爵】们自相残杀最激烈的战场。）

• **大事件：**
时间：七年前
地点：雷恩海域
人物：漆拉 鹿觉 幽冥 特蕾娅
事件：漆拉带着鹿觉与【地之使徒】藏河和【海之使徒】束海在【永生王爵】西流尔化身的岛屿上会合，而藏河和束海却已提前被幽冥和特蕾娅杀戮，特蕾娅告知漆拉，因为吉尔伽美什和幽冥，漆拉已被贬为【三度王爵】。漆拉找不到鹿觉，独自回【心脏】找【白银祭司】，而特蕾娅发现幽冥失手杀了鹿觉，恐怕惹祸上身，将鹿觉的身体从大海中找出来尽力救治。

第十一章：亡灵使

• **标题释义：**
"作为地之使徒，所有人都以为是和【天空的使徒】、【大海的使徒】一样，也是【大地的使徒】的意思，但其实也只有一度王爵和一度使徒们自己知道，地之使徒其实就是【地狱之使徒】的简称罢了。历代的地之使徒，都担负着收集亡灵的使命。"

"他们就像是活在死亡地域上的黑色黄泉引路人，将每一个死亡后拥有高级魂力的魂术师的亡灵，带回尤图尔遗迹，守护这里。格兰仕就是这样的亡灵收集者。"

• **大事件一：**
时间：现在
地点：雷恩海域
人物：神音 霓虹 特蕾娅
事件：神音来到【永生王爵】西流尔化身的岛屿上，为了寻找一个秘密，其实这一切都在特蕾娅的监视之中。神音遭到【山鬼】袭击，霓虹出现并挺身而出，远处山崖上的特蕾娅发现了神音在主动承受【山鬼】的攻击，发现了她可怕的【天赋】。

• **大事件二**：

时间：现在

地点：尤图尔遗迹

人物：银尘 漆拉 麒零 幽花

事件：银尘怀疑这么多年来，一直是四年前【暗化】后变成【饕餮】并失踪了的格兰仕在收集各地的亡灵并将它们带往【尤图尔遗迹】，所以坚持和漆拉一起返回去寻找他。麒零和天束幽花也一同前往。

第十二章：霓虹

• **标题释义**：

这是一张温柔纯净得仿佛只有年轻的天使才拥有的面容。

但是，这样的面容之下，却拥有着高大结实的肌肉身躯。他全身几乎赤裸，只有腰部围绕着一圈短短的铠甲，小麦色的肌肤上，从脖子到脚，甚至脸上，都布满了各种刻纹，仿佛神秘的刺青。他的胸膛以及双手上还残留着刚刚虐杀山鬼时黏稠的血浆，他全身散发着侵略性的雄性气味，他的胸膛结实而宽阔，四肢修长而有力，仿佛是一个身体内部包裹着闪电般的、充满力量的身体。

这些互相冲突的东西，矛盾而又统一地存在于一个人的身上。这样混合着天使和恶魔特质的人。

"你是谁？"神音小声地再次问他。

他轻轻地张了张口，喉咙里发出含混的声音来，"霓……虹……"

• **大事件一**：

时间：现在

地点：雷恩海域

人物：神音 霓虹 特蕾娅

事件：霓虹替神音疗伤，捕捉鱼和海胆给她吃，用自己的身体温暖她，使她完全恢复。接着特蕾娅出现，告知神音【侵蚀者】的起源和存在的意义，并揭露神音想利用自己【进化】的【天赋】，再借助【永生】的力量，来达到迅速而无限强大的目的。

• **大事件二**：

时间：现在

地点：尤图尔遗迹

人物：银尘 漆拉 麒零 幽花

事件：银尘和漆拉发现，【尤图尔遗迹】的所有的亡灵都消失不见了，是谁有能力【瞬杀】成千上万的亡灵呢？得不到答案，银尘【天之使徒】的灵魂回路被封印在身体内部，无法感知到格兰仕是否存在。漆拉做了一枚【棋子】，决定带他们去找一个能够大面积探测魂力的人。

第十三章：聚魂式

• **标题释义：**

"当然还是活着。只是他处于一种沉睡的状态，或者说是在很长的时间里仅仅维持着一个混沌的意识形态。如果我猜得没错，他应该是将自己的全部肉体和这个岛屿相融合之后，把自己的灵魂和思想，抽离了出来，凝聚存放在了岛屿深处的一个秘密的地方，相当于我们的心脏或者大脑……只要找到这个地方，就等于找到了西流尔。"

"找到了之后，我们的任务是……"鬼山莲泉问。

"我们的任务就是……"鬼山缝魂闭上眼睛，风吹动着他铠甲下的布袍，"重新凝聚他已经混沌的意识，然后……唤醒他。"

（聚魂式：代指重新凝聚【永生王爵】西流尔已经抽离混沌的意识，使他被唤醒的过程。）

• **大事件：**

时间：现在

地点：雷恩海域

人物：神音 霓虹 特蕾娅 幽冥 莲泉 缝魂 银尘 漆拉 麒零 天束幽花

事件：神音和幽冥相见，与特蕾娅三人商讨如何与缝魂和莲泉作战，而与此同时缝魂正带莲泉寻找通往西流尔心脏的入口，想要唤醒西流尔。为了阻止他们，幽冥与神音对鬼山兄妹发起攻击，缝魂和莲泉开始【催眠魂兽】，一场大战已然开始。这时，银尘一行四人到达岛屿，除了【一度王爵】修川地藏和他的天地海三【使徒】之外，所有二度到七度的【王爵】【使徒】都到齐了。

第十四章：女神的裙摆

• 标题释义：

"这些白色的水草，到底是些什么东西啊？"他自言自语地说着，没想到身边的天束幽花竟然回答了他。

"这些不是水草，你自己看看它们，就会发现它们其实是一根又一根的丝绸，如果我没有猜错的话，这些绸缎其实就是一件有名的魂器，叫做【女神的裙摆】。它的神奇之处，就在于这些丝绸缠绕交错，无风自动，在这些绸缎包围的领域里，任何间接攻击都是无效的。"

"它一直都被认为是亚斯蓝领域上，防御类魂器中最顶级的盾牌之一，排名甚至超越幽冥的那块几乎能看做是进攻类武器的盾牌——死灵镜面。"

• 大事件：

时间：现在
地点：雷恩海域
人物：神音 霓虹 特蕾娅 幽冥 鬼山莲泉 鬼山缝魂 银尘 漆拉 麒零 幽花
事件：在众人与被催眠的魂兽大战的时候，鬼山缝魂抱着必死的心，让莲泉趁机潜入了西流尔的心脏，却被特蕾娅发现，紧随其后，银尘用一枚【女神的裙摆】保护着麒零和幽花，自己也加入了与魂兽的战斗。当局面控制不住的时候，漆拉也加入了，缝魂向漆拉起誓自己的清白，请求在自己死后，漆拉可以稳住暴动的魂兽，保卫亚斯蓝。而当莲泉找到西流尔，并告诉他【白银祭司】的秘密之后，西流尔也舍弃了自己的生命，并将灵魂回路赐给了莲泉，这使莲泉瞬间化身为【五度王爵】和【六度王爵】的合体。而因为莲泉离开前的一句话，银尘也随她一起逃离，丢下麒零，去找吉尔伽美什。

第十五章：人狱

• 标题释义：

"囚禁吉尔伽美什的'监狱'其实就是西流尔的肉身。吉尔伽美什被囚禁的位置，就在西流尔幻化的岛屿之下。

"任何一个能够囚禁强大魂术师的地方，除了需要物理条件上的密闭空间、坚不可摧的四壁之外，都必须以一个具有强大魂力的事物，作为封印，否则，一些强大的魂术师，就算你把他囚禁在大洋之底，或者铜墙铁壁中间，他依然能够逃脱。封印可以是任何具有强大魂力的东西，比如魂器，或者魂兽，等等，作为封印的事物越强大，那么这个囚禁之地就越难被破坏。所以，作为囚禁吉尔伽美什的地方，他们选择了以'一个王爵'作为封印，如果西流尔不以自己的肉身作为封印的话，没有任何一个地方可以囚禁住吉尔伽美什。但是，作为封印的东西，魂力都会逐渐消耗，当封印的魂力消失之后，这个囚禁之地也就自动失效了。所以，越强力的封印，有效的囚禁时间也越长。而西流尔那种独特的天赋，使得他可以将自己和岛屿融为一体、永生不死，有效的囚禁时间就几乎接近了永恒……他把自己制作成了一个活体封印。"

•大事件一：
时间：现在
地点：港口城市雷恩
人物：麒零 天束幽花
事件：麒零和天束幽花从【永生之岛】回到雷恩，有种两人相依为命的感觉。天束幽花对麒零讲述了自己的身世，原来西流尔是她的父亲，她的灵魂回路是通过她母亲的母体传下来的，她其实并不算真正意义上的【六度使徒】。

•大事件二：
时间：现在
地点：雷恩海域
人物：鬼山莲泉 银尘
事件：他们选择了雷恩海域中的一个小岛降落，在恢复体力之后，莲泉给银尘讲述了四年前的那场混战，囚禁吉尔伽美什的真正原因，还有银尘不知道的最后结果：吉尔伽美什真的没有死，他只是被囚禁在【永生之岛】的下面，【永生王爵】用自己的肉身做成了这道封印，而除此之外还有两道封印镇压着吉尔伽美什，分别是位于【永生之岛】正下方的【魂塚】和【尤图尔遗迹】。银尘决定，即使舍弃所有，即使最后可能会和吉尔伽美什一起被囚禁，也一定要去救他。

第十六章：远世

•标题释义：
　　刚刚在天地间翻涌不息、肆虐冲撞的拳头大小的雪团，此刻已经消失不见。暴虐的气流已经停止，天地间只剩下轻微的风，大片大片鹅毛雪花，悠然地在空中飘扬着，庞大的天地此刻看起来一片温柔的静谧。
　　眼前是一片空旷广阔的雪原，地面上铺满了厚厚的积雪，仿佛柔软的云层。

目光的尽头，是拔地而起的黑色山崖，山崖往前延伸，逐渐集拢，形成一个巨大的黑色峡谷，峡谷的尽头，是一个森然漆黑的洞穴。

这就是每一代侵蚀者诞生的地方——【凝腥洞穴】。

（远世：代指处于亚斯蓝【极北之地】，与风源交界处的【凝腥洞穴】，这里远离尘世，这里走出去的【侵蚀者】们，孤独而寒冷。）

•大事件一：
时间：六年前
地点：格兰尔特•心脏•两个房间
人物：幽冥 特蕾娅 吉尔伽美什 东赫 格兰仕 白银祭司
事件：幽冥和特蕾娅，吉尔伽美什和他的两位【使徒】，分别被召唤至【心脏】，并被【白银祭司】分配给任务。幽冥和特蕾娅将去【凝腥洞穴】寻找这一代活下来的两名【侵蚀者】，而吉尔伽美什一行三人将去【褐合镇】寻找这一代的【天之使徒】银尘。

•大事件二：
时间：六年前
地点：极北之地•凝腥洞穴
人物：幽冥 特蕾娅 连体婴
事件：幽冥和特蕾娅在等待【侵蚀者】的过程中，讨论了关于【侵蚀者】的由来和存在的意义，觉得这种身份令自己岌岌可危。紧接着，第一个获胜的【侵蚀者】出现了，连体婴，她，或者说，她们中的一个，就是神音。

第十七章：因

•标题释义：
"这个女孩，年纪还小，你先带她，放到格兰尔特神氏家族寄养。你不用担心，我已经让白银使者将神氏家族的所有人的记忆都作了修改，他们会认为这个小女孩，本来就是他们家族最小的女儿。等到她成长成熟之后，你再告诉她，她真正的，侵蚀者的身份。她不会记得之前在凝腥洞穴里的任何事情。但是，有可能她会记得，刚刚你'杀死'了她的姐姐。因为她们曾经共享过同一具肉体，甚至共享过生命。所以，我不太清楚，是否能将这一段，从她记忆里抹去。"

吉尔伽美什在阳光下轻轻地眯起眼睛，狭长的眼眶里闪动着金色的光芒，"说吧，出了什么事？"

　　漆拉面色凝重，他小声而慎重地说："魂兽暴动了。"

　　"镇压魂兽的事情，怎么不去找伊莲娜？以她的天赋来说，再凶猛的魂兽在她面前，不也就像是个婴儿一样么？"吉尔伽美什淡淡地看着漆拉。

　　"这次不一样，"漆拉停了一会儿，"这次暴动发生在北之森深处，自由和宽恕两头上古魂兽，同时暴动了。"

　　（因：有两种解释，一种，是神音和幽冥之间的仇恨；一种，是四年前那场混战的起源。）

•大事件一：
时间：六年前
地点：极北之地•凝腥洞穴
人物：幽冥 特蕾娅 连体婴 霓虹
事件：没过多久，在【凝腥洞穴】的入口，霓虹也出现了；特蕾娅敌不过霓虹直接而快速的物理攻击，但在霓虹对她产生原始欲望的时候抓住机会控制并驯服了他；而幽冥也被连体婴中一个脑袋的特异【天赋】折磨得几近崩溃。

•大事件二：
时间：六年前
地点：格兰尔特•心脏•三个房间
人物：白银祭司 吉尔伽美什 东赫 格兰仕 银尘 幽冥 连体婴 特蕾娅 霓虹
事件：第一个房间，吉尔伽美什带着他刚刚组建完整的天、地、海三【使徒】；第二个房间，【白银祭司】告诉特蕾娅，霓虹的【天赋】是【无感】，并使二人成为【王爵】和【使徒】的关系；第三个房间，幽冥在连体婴中选择了与自己拥有相同【天赋】的那一个作为【使徒】留下来，而将另一个有着【精神浸染】这种变态【天赋】的女孩杀死。留下来的那一个，将会被送往格兰尔特神氏家族中寄养，她是神音。

•大事件三：
时间：四年前
地点：雾隐绿岛
人物：吉尔伽美什 漆拉 东赫 格兰仕 银尘
事件：吉尔伽美什和三个【使徒】在岛上悠闲自在的隐居生活，两年间漆拉常常出现并挑战吉尔伽美什，却从未成功，反而与他结下了深厚的感情。当那场策划已久的阴谋开始，【自由】和【宽恕】两头上古魂兽暴动，漆拉来到岛上，请求吉尔伽美什前去镇压。

第十八章：闇之骑士

•标题释义：
　　……他惊呆了，矗立在自己面前的，是一匹人马一样的巨大怪兽，他的双臂和背部，长满了巨大的仿佛翅膀一样的剑刃，每一根羽毛，都是锐利坚硬的刀锋，无数刀刃彼此摩擦、旋转，哗啦啦地发出金属的蜂鸣，巨大的马身，高高地仰起它的前蹄，它的马尾不是无数的鬃毛，而是一根仿佛鱼骨般一节一节的巨大鞭子，上面长满了锋利的刀片，随着马尾的甩动，无数参天大树轰然倒下，而在马身之上，是格兰仕健壮的躯体，他的面容狰狞扭曲，身体变得巨大，他的目光含混不清，仿佛阴冷的地狱恶魔般放射着青光，他低沉地嘶吼着，巨大的魂力咆哮翻滚，随着每一声嘶吼，扩散出震碎一切的力量。

　　（闇之骑士：代指格兰仕使用【黑暗状态】后，【暗化】成为人马一样的怪兽，怪兽名为【饕餮】。）

•大事件一：
时间：四年前
地点：深渊回廊·北之森
人物：吉尔伽美什 幽冥 漆拉 伊莲娜 费雷尔
事件：【宽恕】觉醒之后杀伤力过大，众【王爵】与其对战不敌，【五度王爵】伊莲娜正在与幽冥合作，暂时控制了【宽恕】，可是下一个瞬间就被【宽恕】反扑。漆拉带吉尔伽美什及时出现扭转战局，漆拉告诉他，是【白银祭司】下令，让众【王爵】协助吉尔伽美什，捕捉【宽恕】作为他的【第一魂兽】。就在这时，【自由】也出现了。

•大事件二：
时间：四年前
地点：雾隐绿岛
人物：东赫 格兰仕 银尘 特蕾娅
事件：特蕾娅趁吉尔伽美什离开岛屿，前来对他的三个【使徒】进行杀戮，东赫惨死，格兰仕使用【黑暗状态】化身【饕餮】重伤特蕾娅，并在失去控制的情况下将银尘切成碎片。

第十九章：猎神闪光

• 标题释义：
　　他突然身形展动，全身的长袍如同巨大的羽翼般飞扬起来，他朝天空高高地一跃，如同一颗突然蹿起的流星一样，高高地飞上了天际，他就像一个光芒万丈的天神一样，停在半空中。

　　"他……他会飞？"幽冥瞳孔里放射出恐惧和惊讶的光芒，"他怎么可能不凭借任何的魂器和魂兽，就悬浮在半空里？"

　　天地间不知道从什么地方传来了巨大的梵音，一声一声越来越壮丽辽阔，巨大的梵乐如同天神庭院里的旋律。吉尔伽美什的后背，仿佛突然被劈开一样，绽放出几片狭长的金光，金光旋转着，不断扩大。终于，一圈巨大的圆盘光轮，出现在了吉尔伽美什的背后，他仿佛带着光环的天神，高高地悬浮在天空之上。

• 大事件一：
时间：四年前
地点：深渊回廊•北之森•北部
人物：吉尔伽美什 幽冥 漆拉
事件：吉尔伽美什暂时将【宽恕】托付给漆拉之后，先前往【北之森】的北部与亚斯蓝【第一魂兽】【自由】交会。【自由】的外形是一只银白色的小猫，看似温柔实则魂力深不可测，它与吉尔伽美什对峙了几乎一分钟后，最终决定宣战。

• 大事件二：
时间：四年前
地点：雾隐绿岛
人物：特蕾娅 幽冥 银尘 冰帝
事件：幽冥前往【雾隐绿岛】寻找特蕾娅，原本以为特蕾娅可以轻松对付三个【使徒】，却看到她伤痕累累的狼狈模样。特蕾娅已恢复了一晚，她告诉幽冥事情的经过，以及吉尔伽美什的【天赋】，是【四象极限】。在他们离开之后，【冰帝】意想不到地出现在岛上，他带走了已经支离破碎的银尘的尸体。

• 大事件三：
时间：四年前
地点：深渊回廊•北之森•南部
人物：特蕾娅 幽冥 漆拉 伊莲娜 费雷尔 吉尔伽美什
事件：漆拉得知特蕾娅造成三个【一度使徒】两死一失踪，非常愤怒，却只能努力控制着情绪。在伊莲娜和费雷尔渐渐无法支持的时候，断了一只手臂的吉尔伽美什回来了，漆拉替他疗伤，紧接着，【宽恕】完全觉醒了。六位【王爵】全力以赴，费雷尔和伊莲娜战死，特蕾娅和幽冥依靠漆拉的【阵】找到了【宽恕】的【爵印】，吉尔伽美什带着【审判之轮】出手了。

第二十章：零尘诀

• 标题释义：

"银尘，你一定要没事啊。"麒零在心里，认真地对着大海说，"我就走几天，如果你没有来帝都，那我之后就回来这里等你。"

他的眼眶红红的，像是被海风吹进了沙子。

他一步一回头地离开了雷恩，前往帝都。

少年背着自己的行囊，日渐挺拔的身躯，渐渐消失在海风的尽头。只是他并不知道，这一别，就和银尘别了那么漫长的岁月。

从此之后，多少年，他们都再也没有相见过。

（零尘诀：代指麒零和银尘的诀别。）

• 大事件一：

时间：现在

地点：雷恩海域

人物：鬼山莲泉 银尘

事件：银尘和莲泉坐在【海银】的嘴巴里潜入雷恩海域的海底，莲泉得知了银尘的【天赋】，询问他关于【女神的裙摆】的事情，使得银尘不得不提起四年前发生在【雾隐绿岛】的惨剧。很快他们到达了【魂塚】，找到了当初通往【尤图尔遗迹】的两枚【棋子】，可是却发现【棋子】已经失效了。

• 大事件二：

时间：现在

地点：港口城市雷恩

人物：麒零 天束幽花

事件：二人在客栈里无所事事，银尘走了之后，麒零觉得心里空空的。一起吃完早餐以后，有【冰帝使】前来请他们到雷恩的教堂去，说是【白银祭司】的命令，因为【冰帝】失踪了，需要召集所有的【王爵】和【使徒】一起回帝都。麒零以为银尘也会去，便欣然前往，谁料一去便是诀别。

第二十一章：亡者的黑瞳

• 标题释义：

    此刻，站在逆光里的三个黑衣人，身材修长而挺拔，中间的那个，缓慢地摘下了他的兜帽。他仿佛冰雪雕刻的容颜，在水晶墙壁幽蓝色的光线下，带着一丝鬼魅般的诱惑力，他的五官看起来，俊美得就仿佛他的天赋，让人窒息。

    他缓缓地睁开了他浓密睫毛下的眼睛——那双漆黑一片，没有任何眼白，也没有任何光亮的、仿佛最深最冷的黑夜般的眼球，整个眼眶中都是这样彻底的漆黑。

    （亡者的黑瞳：神话传说里，全黑眼球者，代表已死之人或者失去灵魂者。）

• 大事件一：
时间：现在
地点：雷恩海域•魂塚
人物：鬼山莲泉 银尘
事件：莲泉提议利用催眠和隐藏魂力来骗过【祝福】，然后越过它到达【尤图尔遗迹】，即使它有所察觉也可以用银尘那枚【女神的裙摆】来使它迷惑，于是他们坐上了银尘的【云决】，钻进了【祝福】的体内。

• 大事件二：
时间：现在
地点：尤图尔遗迹
人物：鬼山莲泉 银尘
事件：二人顺利到达，莲泉损耗了大半魂力，银尘帮她复原。莲泉发现这里已经变为一座空城，追溯起那些亡灵存在的真正意义，惊觉可能那件一直被亡灵们守护着的东西已经失窃。银尘并不担忧亚斯蓝可能出现的灾难，他只关心如何能救出吉尔伽美什，于是莲泉带他找到了那个祭坛，找到了破解封印的方法，也解开了之前困惑的数个谜团。当莲泉的血灌满祭坛的池子，通往【囚禁之地】的【棋子】终于在池底出现了，他们原本打算一起过去，可【棋子】被设置了限制，只带走了银尘一个人。

• 大事件三：
时间：现在
地点：尤图尔遗迹
人物：鬼山莲泉 神秘的黑瞳人

事件：银尘被【棋子】带去【囚禁之地】之后，莲泉一个人被留在这里，她发现自己的身体已经停止愈合，并且周围的【黄金魂雾】瞬间全部消失，也无法使用魂力了。这时，出现了一个神秘的戴着斗篷的人，当莲泉看到他的面孔和他眼眶里全部漆黑的眼球时，顿时惊呆了。

• **大事件四：**
时间：现在
地点：格兰尔特•心脏
人物：特蕾娅 幽冥 漆拉 白银祭司 修川地藏和他的两位使徒
事件：一男一女两位【白银祭司】在水晶石壁中与三位【王爵】对话，他们已经知道近期发生的所有变故，并告知大家【冰帝】失踪的事。为了寻找【冰帝】，这一代神秘的【一度王爵】修川地藏第一次出现在其他【王爵】的面前，他的【天赋】是【窒息】，能够瞬间清空大面积领域上的【黄金魂雾】，让整个区域处于魂力真空的状态；而他的样子……他的三位【使徒】竟然和他长得一模一样，而他们除了那双只有黑眼球的眼睛，其余都仿佛是银尘的化身。

第二十二章：囚魂植被

• **标题释义：**
　　在银白色的光芒下，银尘看见，空旷的洞穴中央，一个双臂被钉在石柱上的熟悉的身影骤然出现在视线里。那人低着头，面目看不清楚，看起来仿佛陷入了永恒的沉睡，然而，不需要看清楚眉目，银尘也能知道，他就是自己寻找了整整四年的吉尔伽美什。

　　他的下半身被无数的白色草丝缠绕着，仿佛被蜘蛛丝包裹成的一个茧，他的上半身赤裸着，上面攀爬着一缕缕的草丝，每根草丝都将它们锐利的根系扎进了他的身体，吸食着他的血液，以至于他下半身的那些本来白色的枯草，看起来都呈现着血红的色泽……

　　（囚魂植被：【鬼面女之发】，白色的干草，看起来像是枯萎了的芦苇叶一样，活动状态时，可以吸走周围所有的【黄金魂雾】，生长在【囚禁之地】，被用来囚禁吉尔伽美什。）

• **大事件一：**
　　时间：现在

地点：囚禁之地
人物：银尘 吉尔伽美什
事件：银尘进入这里，只身前往【地狱之门】，他借助了【定身骨刺】的力量才没有被长在黑暗洞穴四周墙壁上的【鬼面女之发】吞噬，而吉尔伽美什也正是被这种可以使人失去魂力的植物捆绑住下半身，囚禁在【地狱之门】的最深处的一个石柱上。白色的风暴席卷而来，银尘用尽最后的力气，赶在自己死去之前将抓着一枚【黄金源泉】的右手伸向吉尔伽美什，这是救他的唯一希望。

• **大事件二：**
时间：现在
地点：心脏
人物：麒零 天束幽花 白银使者
事件：麒零感受到银尘遭遇不测，想要冲出去找银尘，被白银使者拦住并打倒；麒零一直哭着哀求，直到白银使者将他的头踩在脚下，他突然放弃了所有的抵抗，因为此刻他的体内正在迅速复制一套新的魂路，他正在成为【七度王爵】。

第二十三章：浆芝

• **标题释义：**
"刚刚你们看见的，那个可以分娩出'高级容器'的生物，叫做【浆芝】，她属于半植物半动物属性，身体的外形兼具女性和昆虫的特点。

"她没有思想，只有生殖的功能。她能够将种植进她母体内的肉体碎片，复制孕育出和提供肉体碎片的原体一样的复制品，提供的肉体碎片越多越完整，越能复制得近乎百分之百相同。她的强大之处在于，无论原体的肉体是否已经死亡，甚至无论是否已经切割得分不出手脚，只要肉体本身完整，碎片没有丢失，那么，浆芝都能再造出一个几乎完全一样的肉体。"

• **大事件一：**
时间：现在
地点：格兰尔特•心脏
人物：特蕾娅 幽冥 漆拉 白银使者
事件：白银使者奉【白银祭司】的命令，带领三位【王爵】前往【原浆洞穴】，使他们看到了【浆芝】这种可怕的人头虫身的女体生物，并亲眼目睹了她的一次分娩过程，这个过程其实和【侵蚀者】的产生非常类似；而采用银尘的肉身来作为原体，是因为他的身体构造是最接近吉尔伽美什的。其实银尘早已死在四年前的【雾隐绿岛】上了，后来的银尘，只是被还原以后，被种植了记忆的复制品而已。

• 大事件二：
时间：现在
地点：天格内部
人物：特蕾娅 幽冥
事件：特蕾娅告诉幽冥几件事情。第一，漆拉并不是吉尔伽美什阵营的，之前【魂塚】的两枚出错的【棋子】，其实是漆拉暗中调换的；他做这一切只是听从【白银祭司】的指令，达到阻止吉尔伽美什复活的目的。第二，当初抓捕和囚禁吉尔伽美什的完美计划是漆拉设计的，利用吉尔伽美什将【宽恕】收入体内的一个魂力中断的瞬间，用一枚【棋子】直接将他送入【囚禁之地】。第三，关于【囚禁之地】这座特殊监狱的多层构造。正在他们谈话的时候，有神秘使者传来情报，吉尔伽美什已经从【囚禁之地】成功逃脱了。其余的人，银尘已死，神音和莲泉都在【心脏】之中，而关于《风水禁言录》的秘密就要被揭开了。

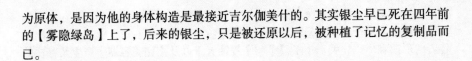

第二十四章：风水禁言录

• 标题释义：
　　"水源亚斯蓝帝国，在二十七年前，和风源因德帝国，秘密签署了一份合约，名为《风水禁言录》，这份合约的签署，直接导致了整个魂术世界的变革，所有的侵蚀者、凝腥洞穴、原浆洞穴，这些神秘事件的根源，都来源于此。"

　　"那十二个盒子里，到底是什么秘密？这十二个白银铸造的盒子，就是《风水禁言录》？"幽冥忍不住问道，他实在想不明白，到底什么样的秘密，能让吉尔伽美什万念俱灰，从此消隐在这个世界上。
　　"不是，只有第一、第二个盒子，才是《风水禁言录》，第一个盒子里是上部，第二个盒子里是下部……剩下的十个盒子……没有人知道是什么恐怖的秘密。"

• 大事件一：
时间：现在
地点：天格内部
人物：特蕾娅 幽冥

事件：特蕾娅给幽冥讲述《风水禁言录》中的机密内容以及她是如何跟在吉尔伽美什后面潜入那个房间，偷看到的。关于【白银祭司】的身份，亚斯蓝各个地理位置的形成和作用，关于【王爵】和【侵蚀者】以及【完美容器】产生及存在的终极意义，关于【尤图尔遗迹】中的那些亡灵曾经守护的东西……这些秘密一个一个被解开，原来，【黄金瞳孔】才是所有魂力的来源。

• 大事件二：
时间：现在
地点：天格外部•荒野雪原
人物：特蕾娅 幽冥
事件：特蕾娅说，亚斯蓝的魂术师们至此已分为四个格局，分别以吉尔伽美什、【白银祭司】、【冰帝】艾欧斯为首，最后一个，是特蕾娅自己，她目前拥有魂力感知和【精神浸染】两种【天赋】，以及一个神秘帮手，如果再加上幽冥和他的【诸神黄昏】，足以和其他三个格局对峙。幽冥会加入特蕾娅的阵营吗？会的。那么，今后的故事将如何演变呢？

尾声：零度王爵

• 标题释义：
　　"不过《风水禁言录》的下部，在整个制造进度里，好像有记载很多年前，他们几乎制作出了一个完美容器，但是还没有开始种植黄金瞳孔，或者让白银祭司的灵魂寄居，在还没有验证的情况下，就失踪了。"

　　"因为那个'完美容器'刚刚制作出来，还没有种植任何的灵魂回路，所以他的身体也没有任何的魂力感应，无法追踪无法查询，所以就遗失在了茫茫的人海。"

　　"对了，"特蕾娅挪动了姿势，说，"他们对这个'完美容器'，还有一个特别的称呼。"
　　"是什么？"
　　"他们把它，称为【零度王爵】。"

• 大事件一：
时间：很多年以前
地点：北之因德•凝腥洞穴外
人物：一度风爵铂伊司 风后西鲁芙 冰帝艾欧斯 一度水爵漆拉

事件：回到序章中，铂伊司和艾欧斯的初次相遇的情景，铂伊司救了他之后，漆拉赶到，与西鲁芙起了小冲突，铂伊司为了一件神秘的大事而放走了他们；艾欧斯仍旧恋恋不舍，仿佛从这一时刻开始，就注定了他们之间说不清也解不开的羁绊。

• **大事件二：**
时间：很多年以前
地点：阿切特拉市
人物：一度水爵漆拉 冰帝艾欧斯 一度风爵铂伊司 风后西鲁芙
事件：漆拉将艾欧斯从风源边界带回到离亚斯蓝【极北之地】很近的城市，将他安置在客栈之后，自己去办另一件事情。半夜，他浑身是伤地带着一个襁褓中的婴儿回来，并迅速用【棋子】带艾欧斯一起逃走，逃开了铂伊司和西鲁芙愤怒的追赶。

• **大事件三：**
时间：很多年以前
地点：福泽镇
人物：一对夫妻 麒零
事件：这对夫妻在一堆从阿切特拉市运来的瓷器中发现了那个被漆拉偷回来的婴儿，并给他起名字，叫做麒零。他就是传说中的【零度王爵】。

疑难解答

常规十二问

1.【白银祭司】到底是什么人？究竟是谁制造了【侵蚀者】？

回答：十二位【白银祭司】其实是从别的国家流放到奥汀大陆的十二个罪大恶极的囚犯，他们的肉身已毁，只留下十二枚【黄金魂雾】的源泉【黄金瞳孔】和十二个邪恶而肮脏的、具有巨大毒性和腐蚀性的灵魂；水晶石壁是目前唯一能存放那种灵魂的容器。【白银祭司】想要重获自由，就必须找到一个完美的、无限强大的肉身，使自己的灵魂可以被其容纳。于是，他们开始研究如何制造【完美容器】，所谓的【侵蚀者】，其实是在没有达到完美之前的失败品。

2.为什么【白银祭司】要赐予吉尔伽美什【四象极限】这个【天赋】，怎么做到的，目的是什么？囚禁他真的是因为无法控制他吗？囚禁是【白银祭司】的意思，还是有别人指示或胁迫的？

回答：基于第一个问题的答案，吉尔伽美什很可能也是被【白银祭司】制造出来的，或者他们在别处发现的一个接近完美的容器。要知道，整个奥汀大陆的魂力全部都来自【黄金瞳孔】，【白银祭司】们可以算做是魂术世界的起源，他们最拿手的就是制作各种各样的灵魂回路，所有【王爵】和【使徒】都可以算做他们的实验品，当然也包括吉尔伽美什。【四象极限】，可以看做是一次大胆的尝试，即使后来拿到了【审判之轮】，其实都不足以成为吉尔伽美什被囚禁的理由。【白银祭司】必须永久囚禁他的原因，是因为他偷看了《风水禁言录》，发现了他们最终极的秘密。

3.第三个红点到底是不是神音？神音的身份不是【侵蚀者】吗？为什么又和神氏家族的人扯上关系?神音和幽冥之间到底有什么深仇大恨？

回答：第三个红点确实是神音，并不是【诸神黄昏】，仔细从时间点上分析，银尘前往福泽镇寻找麒零是在【诸神黄昏】出动之前发生的。神音和霓虹，是六年前从【凝腥洞穴】里走出的两名【侵蚀者】，幽冥和特蕾娅奉命将他们接到【心脏】。神音原本还有一个姐妹，她们算是一对共享一根脊柱和一个【爵印】，但却有两个脑袋和两套灵魂回路的连体婴儿，神音的【天赋】是【进化】，而另一个的【天赋】是【精神浸染】，最后两者只能择一使之存活。在【白银祭司】的指示下，幽冥亲手解决了另一个，留下了神音，送往格兰尔特神氏家族中寄养；【白银祭司】说，她可能不会记得自己是个【侵蚀者】，但她可能会记得她的亲姐妹。

4.麒零明明只是一个小小的店小二却有贵族的气质，而且明明没练习过魂术却魂力惊人，他究竟是什么身世？

回答：当麒零还是个婴儿的时候，被漆拉从【极北之地】偷走，带回了阿切特拉市，并准备带回帝都交给【白银祭司】；但仿佛命中注定一般，当时还是个少年的【冰帝】艾欧斯惧怕麒零散发出来的那种邪恶感，趁漆拉被【一度风爵】铂伊司和【风后】西鲁芙重伤昏迷的时候，偷偷地将麒零放在一辆陌生马车里送走了。那辆马车将麒零和一堆瓷器一起运送到福泽镇，一对夫妻发现了他并将他收养。在他的脚上，有【零度王爵】的标志刺青……

5.幽冥去确认了天地海三【使徒】的死亡和失踪，吉尔伽美什为什么一直没有察觉到【使徒】的危险？难道说他本来就知道了？只

能面对无法避免的事情?

回答:吉尔伽美什被陷害和囚禁的原因是他偷看了亚斯蓝的最高机密《风水禁言录》,那是【白银祭司】们最邪恶的秘密,他看完之后,应当就该知道了自己注定的悲剧命运,这种命运是所有的【王爵】和【使徒】都无法逃脱的。所以他才会开始隐居在【雾隐绿岛】,不再过问世事,也许在他的心中早已觉得,既然殊途同归,怎样都无所谓了吧;也许他真的没有感应到,也许他感应到了也无动于衷,因为无论是他的三个【使徒】,还是其他任何人,都是他无法拯救的。

6.根据《爵迹I》里面所写的,【白银祭司】其一流落在外死了,那么在【心脏】里的三个是两真一假,没有被人发现吗?

回答:其中一个【白银祭司】出走之后,将灵魂附在一个小男孩身上,由于之前解释过的,邪恶的灵魂具有强大的腐蚀性,所以小男孩活不了多久,在临死前他将吉尔伽美什被囚禁的秘密告诉了鬼山缝魂。所以留在水晶石壁中的两位【白银祭司】开始追杀鬼山缝魂,事态逐渐发展,他们开始逐渐对所有知道秘密的人下达【红讯】。从小男孩死去开始,【心脏】里就只剩下两位【白银祭司】,没有再出现过第三位。

7.成千上万的亡灵是为了守护一个秘密——是什么秘密值得那么多人守护?在第七章里,那个神秘小男孩虐杀那么多幽灵的原因是为了把秘密也埋葬吗?为了自己的秘密不被更多人知道?

回答:亡灵们是在守护一枚【黄金瞳

孔】。目前在亚斯蓝国内有三枚【黄金瞳孔】,一枚在【深渊回廊】,一枚在【魂塚】,原本还有一枚在【尤图尔遗迹】,风源和水源签订《风水禁言录》之后,最后的这枚被偷偷转移到了【凝腥洞穴】,用来合力制造【侵蚀者】,从这时开始,亡灵们守护的便是一个假象,为了不让其他两国察觉到这个机密;吉尔伽美什被囚禁之后,这些亡灵的任务又变成了守护囚禁他的第三道封印,不让任何人有机会能进入【囚禁之地】。那个神秘的小男孩具体是谁,书中并没有提到,从他的打扮看来,应该不是水源的人;他来这里不是为了掩饰秘密,而是为了找到秘密。

8.为什么就连漆拉也不知道为什么【棋子】被人动过?除了漆拉谁还具备这样的能力?到底是谁发布了同样的【白讯】给麒零、幽花、莲泉?是谁要他们互相残杀,还是同时致他们于死地?特蕾娅说是祭司,真的是么?幽冥说【白银祭司】同时下达了对银尘、漆拉、麒零、缝魂、幽花、莲泉六个人的【红讯】,为什么要这么做?

回答:除了漆拉,在亚斯蓝没有人有改变【棋子】的能力,所以,【棋子】是漆拉动的,为了服从【白银祭司】的命令。【白讯】也是【白银祭司】让特蕾娅传的,目的是让他们在【魂塚】里自相残杀,若有人侥幸存活下来,漆拉改动过的【棋子】也会将他们送向死亡。这么做的原因,是因为鬼山兄妹从背叛的【白银祭司】那里得知了吉尔伽美什被囚的秘密;而麒零和幽花的【天赋】是【无限魂器同调】和【永生】,很有可能不小心就解开了【囚禁之地】的封印。后来漆拉去【尤图尔遗迹】救他们,也是为了让他们远离【囚禁之地】;而后面下达的对六个人的【红讯】,是所有可能知道秘密,也有机会救出吉尔伽美什的人都必须死。

9.其他【王爵】叛变会受到【杀戮王爵】的追杀,那【杀戮王爵】叛变或和其他【王爵】结成一条战线呢？【白银祭司】凭什么去制约【杀戮王爵】？

回答：以【白银祭司】的魂力级别，要想制住幽冥是很容易的，他的那条手臂就是证明……而选择幽冥来执行杀戮的任务，应该是与他的性格和立场有关；他和特蕾娅在还是【侵蚀者】的时候就配合得天衣无缝，做了【王爵】之后，一个传【红讯】，一个杀人，也是早有默契的。如果当真连【杀戮王爵】都背叛了，那么【白银祭司】会毫不犹豫地将他换掉，要知道，【侵蚀者】是一代强过一代的……

10. 修川地藏是什么人？为什么会和他的【使徒】待在【心脏】里没有动过？

回答：在第二部里他们就会动了……修川地藏和他的三个【使徒】，其实身份和【侵蚀者】差不多，只是他们被制造的地方是在【原浆洞穴】，由【浆芝】分娩而成。他们四人长得一模一样，他们是用四年前死去的银尘的肉体做种子，种出来的和银尘身体外形构造完全一样的"人"；他们的【天赋】是【窒息】，这种可怕的灵魂回路也是【白银祭司】的得意之作。其实银尘自己也是通过【浆芝】被复活的，但和修川地藏他们不同的是，银尘是借助了【冰帝】的【天赋】【摄魂】，带着灵魂和记忆复活的；而他们四人则是失去灵魂之人，他们的眼球是全黑的，对【白银祭司】们来说，是最好的傀儡。

11. 四年前到底发生了什么？仅仅是魂兽暴动那么简单吗？而那些魂兽怎么会突然集体暴动？吉尔伽美什和漆拉最后到底有没有镇压住那次暴动？

回答：【白银祭司】花了许多年，做了

许多事情，到四年前终于准备齐全，可以开始囚禁吉尔伽美什的计划了。他们命令漆拉去唤醒魂兽，再用【棋子】将原本在很远的两个地方的【宽恕】和【自由】一起送到【深渊回廊】的【北之森】来。接着，再让漆拉去向吉尔伽美什求助镇压；如果吉尔伽美什战死最好，倘若他有幸战胜，就让他将【宽恕】收为自己的【第一魂兽】；收服魂兽的过程中会有一个魂力中断的瞬间，漆拉便可以将他直接用【棋子】送入早就在等着他的【囚禁之地】了。最后的结果，和计划中的第二个方案设想得一模一样。

12. 在福泽镇的森林里，神音和麒零是怎么对付【苍雪之牙】的呢？为什么【苍雪之牙】会跑进麒零的体内？神音又去哪儿了呢？

回答：神音战不过【苍雪之牙】，使用了【黑暗状态】，可能是因为【黑暗状态】下的她太可怕，【苍雪之牙】身受重伤，无处可逃，只好躲进昏倒在一旁的麒零身体里；而变成怪物的神音及时自己拉回正常状态之后也逃走了。紧接着，她便接到了杀戮【五度王爵】和【使徒】的【红讯】，前往雷恩寻找鬼山莲泉去了。

kuso问题kuso回答

1.吉尔伽美什的那十几把剑的其中一把怎么会到【魂塚】（还是剑塚）中呢？？？？

回答：是谁告诉你麒零那把剑是【审判之轮】的啊！当然似乎也不是没有这个可能……

2.漆拉为什么至今都没有用过他的【魂器】，他的魂兽又是什么，【爵印】又是在哪儿？《爵迹》的官网上没有提到这点啊……

回答：你说得没错……《爵迹》的官网确实没有提到过……书里也从来没有提到过……我猜啊，漆拉在失去了三个【使徒】之后，除了没事儿去【雾隐绿岛】找吉尔伽美什切磋切磋，其他时间也就只能形单影只了……真可怜啊……【魂器】？魂兽？貌似还没有什么大场面需要他老人家动用这些……

3.幽冥与特蕾娅都是【侵蚀者】，而神音与霓虹也都是【侵蚀者】，那也就是说幽冥与特蕾娅每人都还有一个【使徒】？

回答：这是什么逻辑……有人说过【侵蚀者】就不能做【使徒】吗！有人说过吗！【白银祭司】当初说得真真儿的，让幽冥和特蕾娅去【凝腥洞穴】，找到这一代两个胜出的【侵蚀者】作为自己的

【使徒】……

4.银尘看着死去的【白银祭司】，心中不免恐惧；小孩的身形，此时仿佛只剩下透明的壳。祭司们到底是什么？三个祭司的背后还有更可怕的人存在么？

回答：【白银祭司】是囚犯是囚犯是囚犯……你还嫌他们不够可怕吗！快死了都能粉碎幽冥一整条手臂的怪物……如果要说有更可怕的人，那必须是当初给他们宣判的，那个法官吧……

5. 银尘丢了的【第一魂兽】到底是什么？

回答：银尘根本就没有【第一魂兽】……为什么这么多人问他的【第一魂兽】！他这辈子就没有抓过【第一魂兽】……幽冥所说的阴影，那个怪物，那个野兽，分明就是格兰仕啊……再说了，银尘这种人，【无限魂兽同调】耶！开玩笑，还在乎那什么【第一魂兽】……

6. 鹿觉出事了漆拉怎么会不知道？还有藏河和束海两兄弟，他们死的时候，难道漆拉的【爵印】一点儿反应也没有吗？

回答：咳咳，有人说过【使徒】出事，【王爵】一定要有所感应吗？从头到尾，也只是在讲说如果银尘死了，麒零一定会有感觉，神音感觉到幽冥出事了在召唤她对吧？【使徒】感应到【王爵】的死亡，天经地义啊，因为那一瞬间他们的灵魂回路会迅速重组，魂力会迅速复制好几倍，必须感觉到啊……可是反过来说就不一样了，东赫他们三个【使徒】出事的时候，吉尔伽美什大叔不是也依然淡定吗？

7. 神音是个厉害的角色，她和麒零有没有可

能？？幽花什么时候能够意识到自己的坏脾气，改过自新，和麒零一起呢……吉尔伽美什和漆拉是不是官配？谁和谁是官配呀？

回答：问这个问题的这位同学，你还真的是一位……感情生活至上者啊……你没看到他们都水深火热里，小命儿都快玩完了吗！还谈恋爱！不过偷偷说我始终觉得幽冥和特蕾娅有那么一点……你懂的……

8. 莉吉尔这妞吧，绝对不会简单！对不？

回答：醒醒吧！都哪年哪月了，还惦记着这个恶心巴拉的……早就死在驿站里啦！在【尤图尔遗迹】又被灭了一次，还能哪样"不简单"啊……

9. 银尘会不会再次开启身体内的【一度使徒】的灵魂回路？如果银尘找到吉尔伽美什，那麒零又将何去何从？难道麒零是最后的【一度王爵】吗？

回答：麒零是【零度王爵】，必须大过【一度王爵】好不好？只不过现在还没觉醒呢……其实我也不知道他会怎样觉醒……不过银尘是变不回【一度使徒】了，他已经死了，死了……真叫人难过啊。不过，看着一下多出来的这么多个长得和银尘一模一样的人儿，其实我的心里那叫一个欢快……

10. 麒零曾和天束幽花、鬼山莲泉在【魂塚】中遇到了【祝福】，后来他们奇迹般地逃了出来，是谁救了他们？是麒零吗？

回答：太天真了啊，麒零屁都不会，怎么救啊，自保都来不及了。他那把破剑看起来倒是不错，貌似突然发威了一次？其实真正救了他们的是他们自己，团结！团结两个

字会写不？

11. 每个魂术师或者【王爵】死后他们的魂力是会自然消失还是魂归大地泥土？奥汀大陆上的魂力和【黄金魂雾】是以怎样的方式循环的？【白银祭司】在其中起了什么作用？

回答：魂归泥土……亏你想得出来……【王爵】死后魂力不是全数转给【使徒】了吗？要不然【使徒】怎么上位呀？有了【黄金瞳孔】，奥汀大陆的魂力和【黄金魂雾】就是取之不尽、用之不竭的，就算不循环又怎样！最多不浪费，攒起来再养几头变态的魂兽……

12. 铂伊司是谁？他和艾欧斯是什么关系？他的魂力如何？

回答：铂伊司啊，可是风源的【一度王爵】哦，哇塞，他可不是一般的厉害！一枚【黄金瞳孔】就种在他的额头上！碗口大的【黄金瞳孔】见过没有！必然是现存二十八位【王爵】里最强的那一个啦。和【冰帝】艾欧斯？谁知道什么关系……爱什么关系什么关系……也许下一本书里会讲哦。

CRITICAL

第四章
萌爵篇

一、路人也可以捕到魂兽的方法

① 人肉方阵法

捕获对象： 鸟类魂兽

适用人群： 百人以上水源帝国的小人物团体

季节要求： 无

工具要求： 无

具体方法： 一百个人组成方阵手拉手平躺在地上，一起向下喷水。方阵由于水的反作用力向上升起，最外边的人向四周的树木山石喷水就可以向着相反的方向移动。此一百人就像飘浮在空中的巨型航母一样，可以边在空中追逐魂兽边对其进行攻击。凭着这巨大的阵势迎击魂兽，就算不打下来一只，也很难不吓死一只。

② 障眼法

捕获对象： 有眼睛的魂兽

适用人群： 不限

季节要求： 夏天最佳

工具要求： 希斯雅果实、水枪

具体方法： 夏天希斯雅果实成熟后，摘取大量榨出汁水装进水枪，想尽办法将希斯雅汁水射进魂兽的眼睛。魂力高的魂术师使用此方法为最佳，因为魂力高的魂术师会释放更多魂力，这些魂力在魂兽的眼里会聚成浓重的金色魂雾阻挡它的视线，从而暂时夺取其视觉功能。

③ 条件反射法

捕获对象： 狗类魂兽

适用人群： 魂器可变形的魂术师

季节要求： 不限

工具要求： 可变形魂器

具体方法： 遇到狗类魂兽时，将手里的魂器——例如鞭子锁链等，变成骨头的形状，奋力丢出。当狗类魂兽飞奔出去咬到魂器后，再变形成网状将魂兽网住。

④ 日记法

捕获对象： 心软智慧型魂兽

适用人群： 文采非凡

季节要求： 不限

工具要求： 日记本

具体方法： 把写满辛酸史的日记当成月刊每月准时放在智慧型魂兽的洞口，诚邀它的加盟。如果你的故事足够曲折催泪，总有一天魂兽会主动找上门的——出于同情，或者让你填坑的目的。

⑤ 初级棋子法

捕获对象：任意魂兽
适用人群：眼神无辜的美男
季节要求：冬天最佳
工具要求：棋子
具体方法：本方法关键在于利用无辜的眼神以及美貌色诱漆拉，拜托他将魂兽喜欢的食物变成棋子。冬天的时候魂兽们不容易找到食物，而且在低温条件下身体灵活度降低。只要吃了你丢给它的棋子，就会被传送到你想要传送的地方，例如事先准备好的笼子里。如果它比较聪明，不吃你给的食物，那么干脆拿出变成了棋子的玉米粒撒向魂兽，犹如阵雨般的玉米粒攻势下魂兽很难躲开，总有一粒砸中它并将其传送成功。

⑥ 高级棋子法

捕获对象：综合能力高、智慧型boss级最强魂兽

适用人群：人缘好、脸白

季节要求：不限

工具要求：女神的裙摆一条、被做成棋子的斗篷一件、干粮酒水一包、《临界·爵迹》一本

具体方法：只要你脸够白，能同时从特蕾娅和漆拉那儿借来女神的裙摆和被做成棋子的斗篷，那么你就可以享受一下出门郊游顺便捕获传说中的四大魂兽的乐趣。首先，选择一片舒适的树荫面对魂兽坐下——当然这时的你穿着斗篷并且被女神的裙摆罩着。接着，掏出干粮边吃喝边为魂兽朗读《临界·爵迹》，并且只为它读一半。智慧型魂兽在听小说听到一半的时候产生易怒、急躁、愤恨等不良情绪，而且它对你的间接攻击全部被女神的裙摆挡了下来。如果这时不甘心的它上前扇了你一耳光，那么恭喜你，请去预设的陷阱收获成果。

二、路人变王爵的方法

初级篇：怎样成为使徒

① 攻略第七王爵银尘的方法：

一句话要点： 跳过他直接贿赂JS三人组。

（注：JS是"祭司"的缩写，真的不是"贱死"的缩写。）

众所周知，银尘是王爵里的乖小孩，百分之百信赖祭司，祭司让他收麒零为徒他就收，祭司说他徒弟的魂器是回生锁链他就信。他对祭司的这份信赖感可能源于当年的救命之恩，所以你只要搞定祭司就等于搞定了银尘，并且这是唯一的一条路。银尘的情债泛滥成灾，呆男兽男金发男娘脸男身披黑纱内裸男一应俱全，想要通过巧合、邂逅、上门等方式拜师的同学们，要先做好被半路冲出来的情债踩死的心理准备。

② 攻略五六双王爵鬼山莲泉的方法：

一句话要点： 如果不是天赋异禀才智双全，最好趁早放弃。

莲泉女王不要物质不要男人不要哥哥（……），她只要天下，是标准的事业型女性。如果你是个平庸之辈，不能当军师也没有超强战力，是进不了莲泉的家门的。莲泉既然放了话要灭掉其他王爵，那么她就一定会那样做，从她先把银尘拉入伙这一点我们就可以看出她的精明，她知道银尘的加入就等于一群男人随后的加

入。收了徒弟之后她不但要分出一套魂力回路给使徒，还要分心保护他教育他，所以如果非要收一个徒弟不可话，那个人一定是根本不需要教育和保护的强者。

③攻略第四王爵
特蕾娅的方法:

一句话要点: 体力好没头脑。

特蕾娅的使徒霓虹只在关键部位草草围了一块布,没有习得正常人类的沟通技巧和情感表达。如果推断是野人生活造就了他,那么你就大错特错了!霓虹也曾经是个正常的小伙子,但是特蕾娅的控制欲特别强,他硬是被抽傻的。所以成为第四使徒的条件很宽松,只要体力够好就行,报名方法是可直接上门应征。穿什么衣服去?你穿了再多最后也会被她抽得只剩下关键部位。

④攻略第三王爵
漆拉的方法:

一句话要点: 只要你能找到他。

拜漆拉为师不难,他即使不收你为徒也会温柔地鼓励你下次加油,但前提是起码你能找到他。负责制作棋子的漆拉打破了距离的限制,可以瞬间移动至万里之外。只打听他的方位是没有意义的,关键在于预测。好在漆拉移动的范围不超过几个固定的男人,从当年他每天必缠吉尔伽美什的这份毅力和决心就可以看出。所以只要蹲在银尘或者吉尔伽美什家门口,相信你想不见到漆拉都难。

⑤ 攻略第二王爵幽冥的方法：

一句话要点： 人生多短暂，等你来试验。

当幽冥的使徒需要更好的体力。幽冥可不像特蕾娅那么温柔，只是把你抽傻而已，他很乐意将你卸胳膊卸腿。幽冥还有一系列的恶趣味等着为你展示，例如把蜈蚣放进喉咙并掏出一块镜子，例如随时随地裸体。为什么幽冥那么喜欢银尘？那正是因为银尘以前在马戏团练过。如果你也身怀绝技或者恶趣味十足，可以选择在幽冥最爱的黄金浴场旁架个表演台。

⑥ 攻略第一王爵修川地藏的方法：

一句话要点： 我是未来的主角，你的出镜率由我提高。

虽然身为第一王爵，在《临界·爵迹》第一部中的出境待遇还不如路人甲，名字曝光率比不过麒零逢人便提的死去的娘亲。沦为候补人员的他已经渐渐被其他王爵所遗忘，后来大家统一了口径说是找不到修川地藏，其实，是真的忘了他家的地址。他这颗脆弱无奈的心正等待被鲜活的少年拯救。拜访修川地藏之前的你请先穿上主角标准装——布衣，眼睛略透犀利的神色，自称有志少年并且生活作风良好没有怪癖，见他第一面就投入怀中唤其再生父母，那么下一个一度使徒绝对就是你。只不过成为一度使徒之后，是否出场率比师父还低，那就是另一回事了。

高级篇：邪道直升王爵

① 诬告陷害法

在漆拉那边只消说可以帮他讨银尘欢心，他就一定会感兴趣，这是他的致命弱点。例如为他出主意，旁敲侧击他利用自己制作的棋子去魂塚里取魂器给银尘同调，要多少有多少。在漆拉美滋滋地拿魂器给银尘的时候，在旁边收集证据，攒足了铁证之后就可以去祭司那儿告他们两挪用公家的魂器啦。

② 见缝插针法

如果不能直接谋害或者罢免王爵，让他们互相牵制也是不错的主意。以幽冥和幽花为例。幽冥有去黄金浴场洗澡的习惯，某天趁他正在洗澡的时候把幽花喊过去。幽花可以把空气中的水汽吸收变成冰箭，而且有与事物合并的能力。可以建议幽花去魂雾最浓的黄金浴场，把魂力吸收变成冰箭，再将冰箭与她自己合并，就可以一次性大量提升魂力。于是出现了这样的画面：幽冥洗澡的时候幽花在旁边不停地吸，幽冥水汽组成的黑色纱衣就会一直被幽花吸走。从此幽冥就一直在浴场旁变纱衣，幽花不停地吸纱衣，两人永远也走不出浴场……

③ 占领世界法

此为联合莲泉和麒零统治世界的方法。此二人都已经不能再进魂塚，因此在跟他们谈判的时候要着重强调进入魂塚的条件是先成为莲泉的使徒。你有了莲泉的魂力回路之后进入魂塚，与魂塚合体并存，就像与雷恩岛合体的西流尔一样。魂塚是唯一生产魂器的地方，断了这个魂器来源之后，新魂术师们都没有了魂器。这时再让麒零使用无限魂器同调技能，将与魂塚合体的你整个同调，一举歼灭其他王爵。还需要当什么王爵呢？世界就是你的。

苍雪之牙日记

01月12日　　　　晴　☀

　　主人说写日记时都要标上当天的天气情况，"可这到底是为什么呢？"我反问道。主人说："有些事是弄不清楚的，就像你永远也弄不清楚银尘的情史里还有几个男人没出场。"说完这些他两眼放空，嘴里念叨着"半兽人算什么金发男又怎样"，再也不回答我的话了。

　　其实我并没有见过很多种天气，因为主人只在打架的时候才放我出来。最频繁见到的是雨，一种红色的雨。它们不但从天上来，还从主人和他朋友们的嘴里肚子里喷洒出来。

　　主人的好朋友幽花大小姐喜欢阴天，喜欢湿润的地方。她说这样就可以吸收空气里的水分，制造出很多很多冰箭对付敌人。虽然亚斯蓝帝国时常云雾缭绕大雪弥漫，偶尔也会有灿烂的晴天，比如今天。我来到和麒零并排坐着发呆的幽花身旁，在地上写下我的疑问：幽花小姐，要是干燥的天气里碰到了敌人可怎么办呢？

　　"你真想知道答案？"

　　"我也很好奇呢。"麒零主人的意识从另一个世界回来了。

　　"既然麒零也想知道的话……"

　　幽花羞涩地盯着她的手腕看了两秒，在我没有看清动作的另外两秒之后，她的左手手腕出现了一个硬币大小的血洞。

　　"你你你你你你你！红……"麒零主人向后跳开。

　　"霞虹不在这里。"

　　"啊对了，你听说了吗，霞虹和神音……不对！这不是重点！幽花你要振作啊！"

　　又是红色的雨呢……我心里想着。

　　幽花倒是不紧不慢地把喷向空中的红雨变成红色的箭，"喏，就是这样子解决啰。"在说这句话的空当，她手腕上的洞迅速愈合，恢复原本光滑的皮肤。

　　"不过，还是有另外一种方法的。"看着麒零夸张的表情，她露出神秘的笑容继续说道，"【消音——】。"

　　主人说，人和兽都要时刻保持神秘感，他就是因为欠缺神秘感才会既败给人又败给兽。所以我把幽花说的话消音了，如果你们坚持看到此日记的最后一篇，答案自会揭晓。

01月14日　雨

今天早上……不，我猜是早上。因为我大部分时间是在主人体内待着，所以一睁眼理所当然认为那就是早上。呃……不管怎样，今天早上睁开眼睛看到主人的八大系统四大循环还健在，我就放心了。

"漆拉，听说你以前和吉尔伽美什走得非常近！很可疑哦。"外面隐隐传来四爵奶特蕾娅的声音。

"No~no~no~我是为了决斗才频繁去找他的！"可以想象到漆拉咬着玫瑰摇手指的样子。

"想不到你这么有男子气概，以前我一直把你当女人看待呢~"特蕾娅提高了声调。

"的确是决斗呢没错。"

"你看，银尘愿意为我作证。"

"他的确是挡在我师父吉尔伽美什面前说'谁要是敢跟我争小吉就来跟我决斗吧！'嘛……"

"我听到了哦！你那个'嘛'！"

"耷……说的就是你。唔好险，丢我棋子！"

"师父！冷静啊！"

紧接着外面传来哗啦啦的声音。

啊~又下雨了吧。

01月19日　　　雾　🌼

　　今天是第二届"魂术师之新"启动的日子，主人早早地就起来了，显得异常兴奋。其实我主人挺厉害的，还在我们当地很有名的【讯报】上刊登过杂文，虽然主人的师父读完之后呆望着天空呈现出前所未有的忧愁……它的开头是这样的：

　　"二爵爷、四爵奶，下毒手、不虚来。如若见到他们来，迎合兴趣莫要来，丢掉小命划不来。划不来呀划不来……"

　　我觉得本文不但揭露了上层阶级的残暴诉说了对现实的无奈，还善于运用幽默的写作手法，读起来朗朗上口，实在是佳作。

　　主人的写作功底深，主人的师父更深！主人的师父乃是大型长篇小说《临界·爵迹》的作者。

　　"我说呢，师父让我表演吞剑、让苍雪之牙钻火圈，训练起来都一套一套的，原来师父你真的是马戏团出身。"主人总是这样感叹，"对了，除了平装版以外，有出限量版之类的吗？"

　　"只有这一本伪装版。"

　　"伪装版！哎？是伪装出版的意思吗？"

　　"西流尔被铲、缝魂也被铲，这样下去不久之后，《临界·爵迹》就可以出版了吧。呼～"他眯起眼睛喝了一口茶。

01月21日　　　雾

主人说："大过年的，给你起个英文名吧。"虽然我不知道"过年"和"起英文名"之间有什么必然的联系，但还是挺乐意接受主人这份好意的。但是当他提起笔时，突然意识到自己并没有学过英语。

"人气宠物一般叫什么？"

"听说叫伊丽莎白。"我回答。

"啊！那你就叫伊丽呼伦贝尔吧！"响亮地击掌。

原来"呼伦贝尔"是英文名吗？我也不知道……

"厮杀两重奏姐妹篇《小时代》里，每一本不都有英文主题句吗？'你是我的泰迪魂兽'什么的。"主人有了新主意，"我们《临界·爵迹》应该也弄个英文主题句才行！既有点儿杯具，又充满黑色幽默。看我的！"

唉？刚才他明明就发现自己根本不会英文了吧，现在的自信又是从何而来？！而且还要写那么高深的句子。

"唔……我发现关于英文我知道的只有happy new year……"过了好一会儿，主人拧着眉毛抬头说道。

没关系放弃吧。

"昨天我在街上碰到一个叫小四的情报家，他说估计《临界·爵迹》一整本结束修川地藏都不会出来。"主人突然转移了话题，"连费雷尔都出来了，那可是上任七度啊！而且到第二本的时候就开始写其他国家了吧，修川地藏好像再也没有出场的机会了。"

所以？

"所以主题句就是'Happy new year，修川地藏！'哈哈哈哈哈哈～"说完自顾自地笑翻在地。

好吧，我们关上门说说就行了，还是不要让一度王爵他听到比较好。

01月31日　　　暴雨 🌧

　　　最近莲泉高升，继承了五度和六度两个王爵的位置，大喜，放话说包下我主人的伙食问题。结果我主人三天就把她吃得揭不开锅了。话说到这里，我有个猛料要爆。

　　江湖上传言银尘的离开是因为他听鬼山莲泉说吉尔伽美什还活着，其实真正的对话是这样的。

　　莲泉："银尘，敌人太多我搞不定了。"

　　银尘："关我屁事。"

　　莲泉："可是我刚刚放下了狠话要把他们全灭，这样子让我很没面子耶！"

　　银尘："那……麒零吃太多，我最近养不起他了，连重操旧业开马戏团赚的钱也被他吃光了。要不你帮我养着？让我躲他一段时间。"

　　莲泉："成交。"

　　主人就这样被过户到了莲泉家。

　　我写日记的这会儿主人刚结束第二十碗饭。他突然两眼冒凶光盯着我看，"喂，小苍，你的翅膀会很美味吗？"说着伸手向我抓来。

　　"我只咬一下！就一下！"真是狠心的主人！

　　正当我躲闪不及被他扣住的时候，莲泉姐走进来，主人的注意力迅速地被转移到她的头上。

　　"莲泉姐，你头上翅膀的味道跟鸡翅会有不同吗？"咬着手指。

　　"我不知道呢，没有想过要吃它。"莲泉很认真地说。

　　这是当然的吧！谁想过要尝自己的肉！我都懒得吐槽了。

　　"可以让我尝尝吗？"

　　"呃……这个……不太好吧……"

　　"我就吃一对翅～"

　　她只有一对翅吧！主人！

　　"呃……那好吧……"

　　你答应得也太容易了吧！莲泉姐！

　　莲泉姐二话不说，一把拽下头上的翅膀。房间里下起红色的暴雨。

　　"那帮我烤一下吧，生吃显得怪野蛮的。"

　　这不是烤烤就不野蛮的问题吧！是你自己想吃烤翅了吧！

　　"麻烦多加点儿孜然。"

　　"好的。"

　　……

　　结果正当主人就着红烧肉吃烤翅时，猛然发出一声尖叫瘫倒在地。

　　"这这这肉上怎么会串着莲泉你的戒指！难道……"

"啊～这个啊～"莲泉不紧不慢地说，"因为最近被你吃得买不起肉了，所以我自断手臂做给你吃。没关系你不用担心我，我可以重生手臂的。"

　　"你竟然给我吃人肉！太野蛮了！"

　　"……"

　　主人定义"野蛮"的标准真的很难捉摸。

　　一大早银尘就把主人从床上拽下来，拖进林子。（你们想多了。）

　　银尘说："打架的时候要有气势，不要总是蔫不拉几的，要从声势上先镇住对方，虽然不能像苍雪之牙那样一嗓子震死几只鸟，但也不能差太远。"

　　听到主人的师父的表扬，我心里高兴得直想吟诗。主人是杂文作者，主人的师父是小说家，我也不能太差呀，所以我要当个诗人。当我将我的抱负告诉主人时，他说："小苍啊你怎么是狮人呢，你是个狮鸟。"但是主人接着鼓励我说，"你好好修炼，说不定哪天就成狮人了。"我听了之后特别感动，我得到了主人的肯定，我相信今后一定能够修炼成诗人的。

　　一有空闲我就会吟诗给主人听，我吟到畅快之处，嗷嗷之声传遍山野，地动山摇、沉鱼落雁。每次我吟到一半看见主人七窍泛着血丝，都觉得挺不好意思的，这就是传说中的激动得热血沸腾吧。主人一边弯腰捡着地上的落雁，一边冲我摆摆手说："你继续，一会儿奖励你烤肉。"

　　主人你真好。

　　今天主人来到树林，要进行发声练习，银尘说："跟着我喊，啊——"

　　"啊——"

　　"气沉丹田，再洪亮一点儿。"

　　"啊——"

　　"这样，啊——"

　　"啊——"

　　"啊——"

　　主人说："不行啊师父，我们这样一直喊'啊'，别人会以为我们遇难了呢，要喊点儿内容。"银尘瞪他一眼，说："你怎么那么多事啊？为师这么多年一直只喊'啊'，以后也不会变，你想喊什么就喊什么吧。"

　　主人说："那为了答谢师父的再造之恩，我就喊点儿特殊的吧。"

　　于是——

48

"啊——"

"师父我爱你——"

"啊——"

"我爱你——"

"啊——"

银尘说"我怎么觉得这么不对劲儿",他回头看去,发现一群奇怪的女人躲在树林的角落里指着他俩窃笑。

主人的师父说:"我突然没心情了,我们换下一个训练项目吧。"于是我们躲开奇怪的女人换了个地儿。

"你知道野外追踪吗?这是一门大学问,我通过丰富的实践潜心研究了多年才总结出丰富的宝贵经验,今天我要同你分享。"银尘指着一地的毛发和羽毛说,"你看,这是狮子捕猎的痕迹。"

"呃……这个……其实是昨天苍雪之牙在这里玩耍时掉的,那些羽毛是翅膀上的。"主人毫不留情地打断了银尘。

银尘的脸色变得很难看,但还是强压住怒气。"那么……旁边的一摊血是怎么回事?"

"好像是我的血,怪不得每次跟苍雪之牙玩过之后都感觉晕晕的呢~啊哈哈哈哈~"

"你的大脑就是这样坏掉的吧,你不如再这样多玩几次,我就可以换个徒弟了。"他慢慢地抬头望向天空。

我的记忆中银尘总是在和主人对话之后渐渐昂起头颅,我觉得他肯定为收了这样的徒弟感到特别地骄傲。

03月17日　　　雾　🌼

　　今天主人带我出去打架，他说前一段时间练气势练了那么久，今天要看看成效。结果敌人上来一声嚎就把主人给镇住了，主人说："小苍你在体内等我的暗示，配合着我的口型对敌人来一声震天动地的狮吼。"

　　主人的想法很好，可是实践之后的效果有点儿偏差。当我在他体内一声大吼之后，主人一口血喷在敌人脸上，他说："糟糕，腰给震裂了……"

　　于是主人在开战之前先残废掉，敌人士气大涨。主人说："没关系，主角都是这样的，在负伤的情况下坚持战斗，赢得的胜利才更显难得。"结果敌人刚一抽鞭子，我没忍住，做了一套在马戏团经常表演的倒立动作，再回头时主人已经不见了，敌人也不见了，只有地上长长的一摊血，像是主人被拖走的痕迹。

　　战斗……这么快就结束了吗？

03月25日　　　雾　　🌸

　　主人是个热心肠，众人有难他来帮。凡是感受过主人似火热情的人从此也变得积极解决困难，坚决不让主人再来插手。

　　像往常一样，今天主人带着我四处巡逻寻找需要帮助的人。当我路过莲泉家的时候，刚好看到莲泉姐在家门口转来转去，似有为难之色。主人"嗖"地冲上去。

　　"莲花姐姐你怎么了？"

　　"谁是你莲花姐姐？真稀奇，今天怎么没在你幽花妹妹那儿鬼混……我的门自动锁上了，可是钥匙在屋里。"

　　"这样啊！好办，我帮你把门拆了吧，不用谢。"说着爽朗地笑起来。

　　"呃……我太谢谢你了，不过我不想破坏这房子。"

　　"那也好办啊！你现在不是成永生王爵了吗？我把你拆了，从窗户一块一块地扔你进去。"

　　"……"

　　"你在屋里治愈重生，拿钥匙出来。"我知道主人是在很认真地探讨此种方法的可行性。

　　"你想得真周到，不过我突然不想拿钥匙了。"

　　然而主人不是一个会轻易放弃的人，他边说着"我一定帮你帮到底"边把我收回爵印里，接着把屁股对准门缝。"我通过门缝把苍雪之牙释放到屋里，他帮你拿钥匙出来。"

　　"这个……听起来倒是靠谱多了。"这语气就像惊异于主人还能使用一部分正常的思维。

　　烟雾散去之后我来到了莲泉的屋子里。找到钥匙，OK。叼起钥匙，OK。之后……我发现一个值得注意的严肃的问题……主人究竟是为何放我进来？

　　"小苍～～～开门出来吧！"门外传来主人的声音。

　　我也很想开门出来……

　　"对了莲泉姐，狮子会使用钥匙开门吗？"

　　"……"

　　救我出去！！！

04月04日　　　雾　❀

　　每次银尘带主人打完架回来，主人的衣服就变得像抹布一样脏，洗都洗不干净。银尘估计是受不了了，今天他终于把主人叫到跟前。

　　"把衣服脱下来，"他对主人说，"你不是一直问我为什么衣服总是这么干净，像新的吗？你脱下来，我教你。"

　　主人的脸上忽然浮起两片红云，磨磨唧唧地脱下衣服。

　　银尘白他一眼说"你脸红什么"。他翻着手里主人的衣服，冲主人竖起拇指。

　　"在战斗的时候，只要把衣服反过来穿就好了！"

　　"师父你太聪明了！我怎么没想出来这个办法！我要去告诉所有人你把衣服反着穿这么聪明的办法。"

　　银尘扑通一声伏倒在地，"你赢了，为师给你买新衣服就是，不要把这件事传出去……"

　　"咦师父你怎么了？为什么突然要给我买新衣服？衣服不用反着穿了吗？那裤子呢？"

　　"裤子也买新的……"

　　"师父真好！"

　　主人真是遇到了个好师父啊，我真替他高兴。可惜我不用穿衣服，不过没有洗衣服的烦恼，也挺好。

　　没有洗衣烦恼的还有一帮人，据说他们被统称为侵蚀者。主人说："你要是在路上遇到穿着暴露的人，那有百分之九十的概率就是侵蚀者了。"而且他们内部按照穿得多少进行排名，不穿衣服只用黑雾裹身的幽冥排行第一。因为每天被黑雾缠绕，使得他印堂发黑，似乎运气越来越不好，遇到银尘的时候也屡次调戏不成功。银尘说他："你都不能内敛一点儿。"幽冥特骄傲地说："可是我内裸呀。"

　　不知道到底是哪一点让他骄傲了……

　　听说神音小姐在幽冥的压迫下每天过得水深火热的，我们十分担心她。于是导致昨天在森林里见到吊在树上的神音时，我们都不约而同地以为她想不开了要自我了断。

　　"哇啊啊啊啊！神音姐上吊自杀了！"主人在树下又叫又跳，"是我发现的是我发现的！"

　　看起来他似乎兴奋多一点儿……

　　"啪"的一声，一颗浆果在主人头上爆开。

　　"我只是在侦察附近的地形而已！爵印在这里我也没办法啊！"神音指着自己的喉咙，"只能让魂器束龙从这里伸出来把我吊到高处。"

　　"神音……"银尘稍显尴尬，"你可以将束龙握在手里，让它把你吊起来的……"

　　神音脸上的颜色神奇地变化了，一会儿像绿叶一会儿又变成红浆果。

　　她还是坚持吊在树上，并且增加了摇晃的幅度，显得悠然自得，"其实我是故意的，这样荡秋千很有趣呀哈哈哈你们没玩过吧～"

　　"借口好生硬……"银尘小声说。

　　"好像很有趣！"主人感叹道，接着他似乎想到了什么。

　　"你现在只用了束龙的两条龙神经，为什么不四条一起用呢？那样吊得更稳。"

　　"因为……"神音羞涩地笑着，从喉咙处伸出另外两条龙神经，摘了树上的果子送到嘴里，"因为我轻盈啊～"

　　"可是为什么我总觉得你再多吃一个，树枝就要折断了……"

　　"你说什么？受死吧！果子攻击！"不等主人说完，神音的双手和两条龙神经并用，向我们这个方向进行猛烈的果子攻击。

　　"师父快来帮我！"主人也毫不示弱，迅速捡起地上的石头回击。

　　而银尘只是哀叹着走开了，口里说着"肤浅啊没救了啊"什么的。

　　这么打下去，主人明天又可以换一身新衣服了。

04月19日　　　雾　🌸

　　今天主人甩着一头长发对我说："小苔，你想不想拥有主人我这样黑亮的毛发？"

　　我连连点头——我喜欢主人的一切，当然包括他的发色。

　　主人指着地板，"那这样，你要听我的。先从屋子这边滚到那边，再翻滚回来，重复十遍。"

　　我依主人的话满地打滚儿，不时接受着例如"角落多滚一下""再用力呀用力""只黑不亮怎么行，所以你要使劲擦"的指示。

　　正当我们的毛发黑亮计划进行到一半时，银尘回来了。他看着满屋飞灰中的我，扭头就冲主人飞出一掌。"我出门之前说让你打扫房间，你就拿苔雪之牙当鸡毛掸子吗！给我把它洗干净！还要重新打扫屋子！不然我让你也彻底干净了。"

　　"呜……你打我！"主人跷着兰花指摆出娇弱的样子。

　　"啪！"银尘毫不留情地打下去，"你如愿了。"

　　"我如错了……"

　　原来……主人只是在让我打扫房间吗？呜呜呜主人是骗子！

今天是端午节，主人早上醒来发现左手手腕上多了一根红线。

"师父，这个是什么啊？"

"为了给你增添好运，趁你睡着的时候偷偷绑上的。"银尘呵呵笑着，"是祝福的红线呀。"

主人听了大惊，迅速拽断红线，扔得远远的。

"就就就是那个抖动着成千上万根血管的祝福很受！啊不魂兽！"

似乎是急到咬了舌头……

"当然不是！"银尘气呼呼的，"这只是根普通的线。"他边说边为主人重新绑上了一根红线。

"你知道端午节为什么要吃粽子吗？"

"我知道我知道！"主人抢着回答，"是为了把水里的魂兽的牙粘住，让它们再也吃不了人。"

"的确……也可以这样说……"

"那我们下次多带点儿粽子去捞水里的魂兽吧！"

"……"

银尘一定很想换个话题，于是他说：

"这么多优秀的魂术师里，你一定有崇拜的人吧？"

"当然有啊！"

"那……是谁呀？"银尘的脸微微泛红，连我都看得出他希望主人说出"师父"二字。

"唐师父的大徒弟！"主人倒是的确是说了"师父"二字……

"啊？"

"孙悟空呀！"

"……"

"孙悟空的爵印在耳朵上，每次都能从耳朵那里掏出魂器金箍棒，还有魂兽小悟空，太厉害啦！"

"……"

"咦？师父你不这样觉得吗？你说话呀，怎么了？手里的粽子是给我的吗？"

"我饿死你……"银尘拖着沉重的脚步默默地走了出去，顺便拿走了粽子……

06月06日　　晴　☀

要说哪个女人最疯狂，不是莲泉不是神音不是特蕾娅不是银尘（……），是幽花。"幽花"两字如雷贯耳，凡是听到此名的生物，无论人兽通通尖叫着跑开。

"太干燥！实在是太干燥了！只要她在我身旁超过五分钟，我身上的皮肤都会干裂起皮，真是太恐怖了！"——来自特蕾娅的证词。

这大概是幽花习惯随时把空气中的水分变成冰箭的缘故。不过当主人问起幽花本人是如何保养皮肤时，她镇静地、一字一顿地、用充满了专业性的口吻说："皮肤干裂的时候，割掉重生就好了。"

虽然对于幽花"在称体重前放血""割腕造冰箭"等事迹早有耳闻，毕竟还是觉得那是她自己的事情，即使后来又听说她让两个王爵喉咙干得出血，三个使徒提前出现眼角纹，也坚持认为那是人类的事情。

然而今天，我才终于认识到我对她的理解，实在太肤浅。

"使徒这玩意儿不好当，不如跟我一起来做保胎员啊。"一大早幽花就踹开了我家的大门。

麒零揉着惺忪的睡眼，反复琢磨着"保胎员"这三个字。我总觉得幽花要是跟主人联合起来，说不定能搞垮整个亚斯蓝帝国。

"对啊～我可以复制我的'快速治愈灵魂回路'给孕妇，直到她们平安产子，100%保胎。你看我爸就是这样把我弄出血的，我现在多健康啊。"幽花也不是个会轻易放弃的人。

"不干……我要出去巡逻了，亚斯蓝人民还等着我去解救呢。"

"你也可以预订一下嘛，以后有儿子了保你顺产。"

"不，我不生孩子……我师父的私生子说不定蛮多，你去问问他……"果然是高手过招，字字见血。只不过见的既不是自己的血也不是谈话对手的血就是了，杀无关人士于无形之中。

"那卖燕窝呢？"幽花见推销没有成效，立刻转向了下一个业务。话说她到底做了多少个业务啊！

"啊？"

"不卖保险，去卖燕窝也好呀。"

"燕窝……那个我听说过！"主人似乎有点儿兴趣了，"用燕子口水做成的东西是吧？可是我们不是燕子呀，要怎么做燕窝？先养燕子？先给燕子保胎？呼唔唔唔……"

主人还没说完，就看见幽花突然发力，使用"吸水为冰"大法，将正在说话的主人的口水吸了出来。

主人惊慌失措，口水如彩虹般喷流而出……

"这就是燕窝啦～"幽花手上托着麒零口水做成的冰冻燕窝状物体，邪恶地笑着，"只要能赚钱不就好了，是谁的口水并不重要呀！"
　　"……"
　　"怎样？"

　　只见主人屠弱地伏在地上，"我想买你的保险……你……饶过我……"
　　"那别忘了回头给你师父也介绍介绍，对了苍雪之牙在这儿呢，我可以提供魂兽保胎……"她把下一个目标转向我。

　　这之后的一整天我都被她缠着推销保胎计划，被搞吐了三次，她却丝毫没有回家吃饭的意思。
　　一定有她害怕的人，一定有能克制住她的人。这时我想到了既是侵蚀者又是杀戮王爵的幽冥。我在地上写下"幽冥"两字。
　　"幽冥怎么了？幽冥来了？他来得正好，今天天气这么干燥，我都没有足够的水分来做冰箭了，幽冥黑色的雾一样飘散的衣服正好可以被我吸收，做出漂亮的黑色冰箭。"
　　"……"
　　主人，外面的世界好危险人类好可怕。来世……我还是做个魂兽吧。

爵迹囵格

·特别关注·

莲泉同学，你知道神音身份的瞬间就应该清楚自己肯定打不赢吧。

第五使徒——鬼山莲泉

依你如此理性务实的性格，不会打算跟神音硬拼到底吧。

那你为什么直到快领便当*时，才借第十七个神像躲进了魂塚呢？

难道说……你在……

好啦！我承认！我数了半天才搞清哪个是第十七个！

MD！五六个就好了嘛，干吗写十七个，数得老娘眼睛都花了！

*领便当出自周星驰的电影《喜剧之王》，这里用做"死掉、挂掉"的意思。

·半刃巨剑的来历·

据《麒银之书》记载，莲泉的魂器是巨剑，而麒零的魂器是半刃巨剑。今天为您解析迷雾下的真相……

麒银之书

哇～

噢～

话说当麒零闯进魂塚时，他看到了倒在岩石上的莲泉，和她那横在一边的巨剑。

有剑耶～

麒零同学就顺手抽走了这把离他最近的魂器。

没人管我

啊嘿

而这把剑之前在与神音拼架时，断了一半的刃……

咔咔

· 主人跟我的爱好相似 ·

据《爵迹》第四章记载，麒零一定会拿到回生锁链，这背后的真相又是……

正当麒零要离开魂塚时，他看到地上有一条锁链。

哦~锁链耶~

KIRA～PIKA～PIKA

叮~OK~

麒零的脑内幻想。

于是他顺手拿走了回生锁链……

果然有了这条锁链，以后遛狮子就方便了！

KIRA～PIKA～PIKA

叮~OK~

· 见多识广 ·

第七王爵——银尘

师父~为什么祭司们都被埋在水晶里？

他们出来的话这个世界将会被毁灭，因为他们一个比一个贱！

脱口而出

哎？

贱……见多识广

○脚本：王羽
○绘画：千层

作者脑内分析

关于作品里角色的潜力，我们要从其作者的潜意识讲起。

顾、宫、鬼山，这些姓氏都有一个共同的特点，那就是它们的首字都以"G"开头！这跟"郭"是一样的！

很明显，作者偏爱"G"，这在心理学中叫做"人名字母效应"。

所以说……
我们鬼山家族乃是这部作品里重量级的一笔！

看这边——
鬼山小姐，请看这边
嚓

自恋的幽冥

杀戮王爵——幽冥

神音，你往这死灵镜面内部注入魂力试试看。

第二使徒——神音

呀！

盾牌内部，是无数复杂而又精美的白色纹路。

盾牌上的白色纹路其实是幽冥的雕像，有嘴咬玫瑰的、有出浴的、有展示肌肉的。

好……好自恋！

但她没胆说出来＝＝

162

· 追杀王爵的理由 ·

鬼山缝魂

杀戮王爵，你为什么要杀我！

杀戮王爵

因为你的爵印长在耳朵后面，祭司认为没有看头。

祭司……那三个变态。

那你被封为第二王爵，你的爵印一定长在很有看头的地方！

你知道得太多了。

· 配角的悲哀 ·

杀戮王爵

在我瞬杀你之前，你有什么要交代的么？

屠弱美少年

鬼山缝魂

你可以杀我，但是不能杀他，他是……他是……

你这个言而无信的人……我……还没有交代完……

去死！

你到底……是谁……

我刚刚不是正要告诉你这件事么！！！！还有你瞎晴发的那是什么光啊！！！

啊

163

○脚本：王羽
○绘画：千曆

·保存果实的方法·

啊喑~~
吱一
扑倒
啪叽

都压扁了

师父，为什么你口袋里的希斯雅果实都这么安全……

悟

啊！师父一定是在果实外包了一层冰！

师父你好坏，捐都不告诉我这个办法！

这是靠你自己去悟的。

内心：好主意，为什么我从没想到过！

·麒零的商业头脑·

师父师父，我发现了一个商机！

兴高采烈

根据"高浓度的黄金魂雾，不用滴希斯雅汁也可见"这个原理，我只要在眼药水瓶里注满我的高浓度魂力，再加水，就可以把它当做希斯雅滴眼液卖了！

希斯雅滴眼液

唔，好办法。我怎么又没想到！

为什么是"又"

我的魂力可是源源不断的啊。没有成本费。

你这是在卖假药……你走吧，为师管不了你了。

师父——！

·冲击爵印1·

嗯！嗯！这样啊！

冲击爵印的次数越多，力量越强。

我知道了！我会刻苦修行的！

一星期后，银尘来视察。

啊哈哈哈~

荡啊荡~

两星期后，银尘来视察。

啊哈哈哈哈~

你这样"冲击"有个屁用啊！

·冲击爵印2·

你打算用这东西来提升战斗力?

狠抓

此物的着力点在臀部，使用时通过不断的位移变化产生对后臀变幻莫测的作用力!

因此只要坐在上面荡来荡去，就可以在无形之中轻松激荡爵印!

爵印在"很有看头"地方的某人

去死!

◎脚本：王羽
◎绘画：千厣

·银尘是个大冰箱·

麒零发现，银尘就像个大冰箱。

ICE米

=

他哪来的面包……

来~小雪吃午餐啰~

来~小雪吃水果啰~

他哪来的苹果……

晚饭煮太多吃不完了……师父，能不能装你斗篷里？

滚！

·黑化研究·

通过《麒银之书》的银尘黑化图我们可以看出，黑暗状态即是主人和魂兽的合体。

那么，麒零黑化后是狮身人面的斯芬克司。

+

而神音和她的织梦者合体……

我穿梭在黑夜中。

我是正义的使者！

蜘蛛侠！

神音今后的路线

天束幽花

神音，没有天束幽花傲娇。

神音

鬼山莲泉

跟莲泉比，御姐feel又太少。

神音

莉吉尔

早过了萝莉的年纪。

神音

于是……改走了人妻路线。

神音

王……

幽冥

你逃不出我手心的~

成功的人设

最普通的黑色背部剪影。

什么是成功的人设？一个成功的人设，读者只看背部剪影就能知道他是谁。

一个穿着平民装的黑色背部剪影。

麒零吗？

也许只是某个配角平民吧，他们穿得都差不多。

一个穿着裙子装的黑色背部剪影。

神音吗？

有点像，也可能是幽花吧？

一个出浴的裸男黑色背部剪影。

是幽冥！！！

混不下去了

幽花

你的王爵，难道没教过你基本的礼仪吗？

哼！

银尘

你可知道，你企图杀害另一个使徒，是多么严重的一项罪恶么？你的王爵没有教过你么？

我想杀谁就杀谁！

要怪就怪他自己贱，那么轻易就下跪！

你刚才说银尘什么？你再说一次？

卡！OK！辛苦了，演得很到位。

人家不要演这种坏人了啦！主角得罪得一个不剩，会没有人气的！

神音的视角

幽冥

你在这里干什么？

完了，见到男人就走不动。

银尘

你别害怕，我舍不得杀你。

见到美男就要捏人下巴。

你弄丢的那个玩意儿，还没有找到么？

嘿嘿嘿～～

进入调戏阶段。

我的事情你不要碰，更何况你也碰不起。

到最后还不是被人砍了胳膊或者羞辱一番。

·幽冥吃鱼·

也许你有这样的烦恼,鱼刺卡到嗓子眼里怎样都弄不出来。但是幽冥从来不担心这个。

啊呜~

幽冥的吃鱼方式:
第一步,把整条鱼吞下去。

第二步,把嗓子里的鱼刺和死灵镜面一起抠出来。

抵啊 抵啊~

第三步,把死灵镜面放回去。

·恋妹情结+无能·

如果能碰见,那就更好。

我是五度王爵,鬼山缠魂。我的使徒鬼山莲泉也在魂塚里。莲泉是个心地善良的人,她肯定会帮你的使徒的。

怎样都好

我不在乎麒零和我有没有血缘关系。

我的使徒是我的亲生妹妹,我们有血缘关系哦~

你很羡慕吧~

我妹妹可厉害了,我的魂器和魂兽都让丫拿着呢!你就放心把麒零交给她吧!走!我们去深渊回廊。

所以说,你现在什么都没带,你让我陪你去深渊回廊其实只是想让我在路上保护你吧。

僵直

怎么可能……哈哈……哈哈哈哈……

○脚本：王羽
○绘画：千層

幽花的体重1

啧……
原来是把
断剑。

切～

还不是你太
胖，被你踩
断的。

怎么可能！
我才没碰它！

莲泉侦探的推理剧场

图解

这把剑原本一
定很长，它**穿
透**了整个崖壁。

图解

你在拿你的弓
时踩断了它。

幽花的体重2

体检单

哼！我有体检单为
证，我可是全使徒
里体重最轻的！

随身携带体检单以
供炫耀的女人终于
找到了宣泄的出口。
你以为我不知道你
的小伎俩吗？

呼…

什么??

莲泉侦探的推理剧场Again

你拥有使伤口快速
愈合的天赋，所以
体重轻的秘诀是
你在称体重前放了
大量的血！

咕咕咕～

※猎奇镜头
请勿模仿!!

我说得没错吧！

呀！

·骂人也可以没有成就感·

你这只禽兽!

不,它叫魂兽。

嗷呜~

……

我是说你!

你这只禽兽!

什么受?呃……师父只说过我是弱受~

够了!

·收魂器·

师父啊——

怎么了?

都是因为爵印长在那个地方,我在收魂器进去的时候觉得好难为情啊!莲泉姐姐都看着呢!

没关系,乖~师父当时更惨呢。在魂塚里绊倒,一屁股坐在刺剑上,结果刺剑就成了我的魂器。

师父好可怜!

他相信了……

·辨真假·

那两个男祭司里肯定有一个是敌人冒充的！我们把他揪出来！

这位祭司大人好难闻，脸上落满了灰尘，一看就是有上千年没有洗澡了！他是真的！

好！那这个就是假的咯！你看他面部五官多立体，完全不像被人踩了上千年的脸*。

*通常大家心有不顺，就会来踩踩祭司的脸！

喀啦

那个……我本来就长这样我有什么办法啊……

·爵印在后背也很麻烦·

在幽花还很小的时候，她的师父就常常说……

我的宝贝幽花啊～你要记着，即使后背再痒也不可以随便抓哦～不然会被杀的。

可是她从来不在意师父说什么……

宝贝啊～今天你就在家玩儿吧，师父是去讲和。

师父！要去打架吗？幽花也去！

和平万岁。

后背好痒……

还是跟来了。

她要拔魂器！

喀啪！

他们想毁约，我们走！

·创业1·

漆拉

哦?

你们组了马戏团?

没办法啊,祭司发的那点工资养老都不够。来,看看我徒弟的绝技。

麒零吞剑!!

※普通人类请勿擅自模仿

我谢谢你,真精彩,你可以去写一本叫《绝技》的书了。

·创业2·

其实除了杂技团,我还想过其他的赚钱途径。

说来听听。

动物园

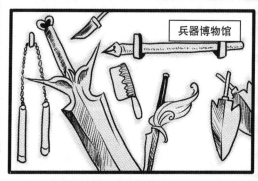

兵器博物馆

我也有个提议,把师父的美男后宫搬出来开夜店好了,哼!

你醋个什么劲!

莲泉的控诉

大家好,《这个女人有话说》栏目又和大家见面了。化名为小莲的女嘉宾有满腹的苦水,让我们来听一听。

各位日安,我要控诉的是我的哥哥。他不但是个恋妹狂,还非常无能。虽然他在我们那个圈子里排行第五,可却比六爷爷和七爷爷差远了,真不知道这排名是怎么定的。

六爷爷被称为永生的爷,七爷爷更是当过大老爷的徒弟。我的这个哥哥只留给我一个可以使魂兽平静下来的天赋。

呜呜呜呜

这个天赋听起来蛮不错哦。

可是当我遇到魂兽祝福时,这个天赋一点用都没有。害得我差点挂掉不说,还在朋友面前失尽了面子!

好苦……

四处留情的男人

漆拉家

不要乱碰,这里到处都是棋子。

漆拉,你们家跟你长得一样漂亮。

没错,你看这本书就是通往首都书店的棋子。

哇!

还有很多呢,壁橱最左边的汤匙通往帝都饭店,最右边的叉子通向小吃街。你们想要哪种棋子?我可以免费给你们做一个。

嘿

请给我一枚去往你心里的棋子。

你们当着我的面,想要做什么?!

阿银……

·遇上吸血鬼·

*: 镜子，指幽冥的魂器【死灵镜面】

·《小时代》广告企划·

·最弱魂器·

为什么！！
为什么我的回生
锁链被评为最弱
魂器！

因为你的锁链导
热，在遇到火源
帝国的人时握都
握不住，烫手。

遇到风源帝国的
人时又因为锁链
太轻，一吹就跑，
根本使不出来。

特别是遇到地源
帝国的人时呀~
一旦锁链被钉在
地上，你跑都跑
不了。

你真是搞了个没
用的东西呢！

·我叫格兰仕·

小海啊，快到午
饭时间了，我们
要叫外卖拉面，
你叫什么来吃？

喂！
小海！
你叫什么？

啊？
我叫格兰仕。

王爵外卖。
这是您的两碗
拉面和一台格
兰仕。

半小时后——

您好！

滚

·银尘走路的烦恼·

师父，您年纪不大，别老那么幽幽地走路啊，活力一点，像我一样，您看~

！

活力？

跳~

呼

咔啦

左跳一下==魂器太多

哇

哇！！

跑跳

右跳一下==魂兽太多

师父您还是幽幽着走吧。

您斗篷里到底装了多少东西啊

·麒零式描述·

自从红线紧紧地缠绕住了我们之后，我就觉着我们的生死联系在了一起。

和谁？

和你！那是同生共死的命运！

啊！我太幸福了！

你的情诗写得太好了！

天哪！看！那是祝福的红线！！

你在说什么呢，我只是在试着描述我们和魂兽祝福搏斗的案发现场。

哎？

○脚本：王羽
○绘画：千麿

·他还活着·

银尘

漆拉，这回你一定要相信我，

吉尔伽美什还活着。

漆拉

那你怎么没找着他？不要告诉我他活在你心中。

不，我不会这样说的。

哦？那你说他在哪儿？

他活在我们大家的心中！

……啊！

所以我根本不应该听你说话！

·用之使徒·

？

为什么要给一度王爵派三个使徒，而其他王爵的使徒只有一个呢？

吃 家 用

因为一度王爵的需求也比其他王爵多，

要专门安排三个秘书来保证他的吃穿用。

格兰仕听起来就像个厨子，管吃的。那东赫……

那我师父一定是"用之使徒"啦。

以为我没听到吗？"用"什么"用"啊！最近你们猖狂得很嘛！

·小三·

哟~这不是小三么~

特蕾娅

漆拉

我不是小三!

不是银尘和麒零之间的第三者,

我不是银尘和吉尔伽美什之间的第三者,

也不是银尘和幽冥之间的第三者!

啊不,我说的那个"三"只是"三度王爵"的"三"……那……好吧……

好吧什么!!不要说出去呀!

滴滴滴~

信息
【讯报】
头条——
漆拉自曝第三者,银尘四处留情人……

选项   确认

·莲泉VS神音·

我已经拿到自己的魂器,我们可以让麒零作裁判,好好比一场了!

V·S

正合吾意!

预备——开始!

锁链   刺鞭

神音姐姐你要加油啊!

哼!竟然用翅膀来助力!

啊——神音变成一堆神音啦!莲泉姐姐!

嗖

小神音

叭哒叭哒

·冷面毒舌·

看你那一张扑克脸，见到本小姐竟然没表示。活该你再过十年也还是使徒，到时候让你看看我幽花王爵的派头。

你瞧瞧你，没气质又穷酸，有哪点比我强？

教养，品德。

你！

你！

你！

我的小可怜，不要你你你的了，我从没见过像你一样光说话就能把咬肌练出来的人。你的脸变得如男人般粗犷，再过十年我还是【女】使徒时你已经变成【男】爵了吧。

呜呜～

·或死或"生"·

我要美少年！

我要美少年！！

我要——美少——年！！！

二爵爷，我哪儿给您弄美少年去啊。

美少年～
美少年……

弄不来你就去死吧！！！

不要太任性啊……

那就去生！你不是会生孩子么！

我还是去死吧……

本末倒置

我让苍雪之牙只把翅膀从爵印里伸出来试试。

好主意，不用把整个魂兽放出来就能飞，节省不少体力，以后不用那么累了。

扇～

啊！面凉得好快呀～

啊！裙子飞起来好像花朵呢～可是为什么她在生气？

呀～

呼！

师父……我觉得好累……

全把能量耗在没用的事情上，不累才怪！

啪！

无法拒绝的理由

你凭什么抢先霸占回生锁链！本小姐不服！

好像的确应该给别人一个公平竞争的机会……

其实我有一个非它不要的理由！

以前，每当我从颈后拔出巨剑时，都会把脖子上的项链割断！

如果换成抽出锁链的话……

MD！我也想要有戴上项链的一天啊！呜呜呜呜呜……

呜呜～呜～

归你了归你了～我们不要了还不行……

好可怜

·跪下的含义·

老娘看上你了，结婚吧！

姑娘，这可使不得啊！

竟敢违抗我！

你找死！为什么？

我哪点配不上你？！

哇

因为……我师父不是给你跪下了吗？

好啊，这点小事还记仇。

……

跪下了不就是求婚了么，你是我师母啊。

人妻不可戏啊~

·幽冥的【天赋】·

师父你一定见过幽冥的天赋吧，是不是很厉害啊？

他第一次对我使用天赋时还真是吓到我了呢，突然就把衣服脱了！

因……

Come on！！ BABY~

HA HA HA~ HONEY

因为他的衣服是可以随时形成或消失的，在对战的时候突然脱掉衣服会给对手带来巨大的冲击。

什么嘛只是脱脱穿穿吓唬人而已~幽花还说要让我亲自品尝，品尝什么啊？

唔……

以后不要再跟她玩了！

◎脚本：王羽
◎绘画：千靥

·侵蚀者的特征·

我总结出来了，你们侵蚀者的共同特征是讨厌洗衣服。

说话要讲证据。

幽冥的衣服是由某种不明黑雾幻化而来的，这个众人皆知。

没错，他从来不洗衣服。

特蕾娅和她的使徒霓虹号称内衣师徒，根本不穿正常意义上的衣服。

好吧这个也算。那我呢？

哇~你就更厉害了~你每次出场都在被欸，衣服破得都没法穿了吧。

嘿嘿嘿

·当霓虹遇见麒零·

霓虹，把衣服穿起来再去，可不能被别人看扁了！

特蕾娅

可是霓虹没穿过衣服……

于是……在一番套弄之后……

哇！哇！原来你就是传说中的超人！

原来你是美国人啊！

这个笨蛋！！

《小时代》穿越《爵迹》1

当宫洛和顾里穿越来到亚斯蓝帝国。

哼哼哼哼，哼哼哼

他们会骗走特蕾娅和霓虹的最新款内衣，漆拉的黑羽铠甲，以及王爵们间正流行的时尚披风。

哇 哈！！！

他们会拔掉鬼山莲泉的高跟鞋，连她头上的翅膀也不放过。

最后他们挖走了祭司三人组身旁的水晶，祭司们暴尸水晶外，这个国家就这样灭亡了。

《小时代》穿越《爵迹》2

如果唐宛如穿越来到亚斯蓝帝国，她毁灭世界的能力不会亚于宫洛和顾里。

她会因为在黄金湖泊偷看幽冥洗澡而不小心掉进湖里。

于是她变成了亚斯蓝土地上最强的如如魂兽，吸光了所有男人的阳气。

come on ~ 哈哈~

亚斯蓝的男人全灭之后，这个国家因为没有后代不久就灭亡了……

○ 脚本：王羽
○ 绘画：千麝

·麒零的疑问·

缝魂哥哥，有件事我非常不解，可否请教一下？

有什么不懂尽管来问青年才俊神通广大的鬼山缝魂吧！

神音姐姐说她的母亲看见过第四王爵镇压北之峡谷里集体失控的魂兽。让魂兽平静下来不是您的天赋么？为什么不让您去？

这个……

因为第四王爵特蕾娅是个侵蚀者，她非要去虐魂兽。

特蕾娅才上任七年，镇压魂兽的事是更早以前发生的啊……

没错没错那次事件不是她解决的，我当然知道。我突然有事，具体情况你问我妹妹吧。

哎？

这个废柴根本镇压不住，这个答案我怎么能说出口！

·银尘的恶趣味·

来~徒儿~把这个戴在头上！

这一定是很厉害的魂器吧，我看师父天天戴着。

啊不……其实只是觉得很萌而已，虽然猫耳兔耳也不错啦~

其实师父快要不行了……这是留给你的遗物，见物如见人！

师父！你不要死——呜呜！

于是从《麒银之书》的封面我们可以看到，麒零变成大叔后也还戴着海螺。

·海螺小伙麒零·

·红人·

·麒零式成语练习·

三年A班神音老师的语文课。

麒零同学，用成语形容一下你的魂兽苍雪之牙。

呃……白衣苍狗！

你……

好吧，那用成语形容一下我的魂兽织梦者。

呃……一丝不挂！

怎么会是一丝不挂呢？织梦者是蜘蛛，所到之处就会有丝。

所以是一丝不挂啊。

"不挂一根丝，挂很多根"的意思。

·内幕（伪）·

给你们曝点儿内幕

其实莲泉和缝魂不是兄妹。

呜啊！妹妹你别太伤心！

呃不……似乎我不用遗传你的废柴基因了，反而有点儿开心……

莲泉姐，这样不行哦，我想要个亲人还没有呢。

不，你还有个活着的亲人。

难道是银尘师父？！

太过分了！人家都还没说完你就反应这么激烈！

错！是缝……

193

○ 脚本：王羽
○ 绘画：千靥

·站在他身上1·

这里是雷恩海域，现在你正站在西流尔的身上。

！！

什么！

你怎么了？

挖挖挖

师父，你真神……死人的魂力都能感觉得到。

我说的"站在西流尔身上"不是这个意思！

·站在他身上2·

西流尔大叔，久仰大名，没想到你已经仙逝了！

这个只是被杀人越货的路人甲的尸骨吧！

你就放心把幽花她交给我吧！呜啊啊啊啊……

喂，有在听我说话吗……我说的"站在西流尔身上"是指这个岛就是西流尔。

这样啊。

嗯。

不要吃西流尔大叔！

我突然觉得好累……

·头盔下的奥秘·

大家有没有注意到，无论什么时候莲泉的前额都戴着头盔。

难道说……**她前额长满了痘痘！**

难道说……**她是秃顶！**

骗你的～

·霓虹的粉丝·

霓虹越来越受欢迎了，他的粉丝叫什么好呢？

虹粉佳人！

那他的男粉丝怎么办？

虹男绿女！

不要啦

虹薯粉男女。

……

虹油粉丝。

虹油吐丝。 虹油……

偏离主题了……

幽冥好恐怖

表白忠心

主人有点呆

主人有点傻

主人跟我的爱好相似。

花竟然抢走我的烤肉，和她拼了！要拦我！

冲动是魔鬼。

走，苍雪！跟我一起去报仇！咱们共生死！

嗷呜～

同患……

！！

！！

主人的朋友很奇怪。

使徒这玩意儿不好当，不如跟我一起来做保胎员啊。

保胎员？

对啊，我可以复制我的快速治愈灵魂回路给孕妇，直到她们平安产子，100%保胎。

不干……

你也可以预订一下嘛，以后有儿子了保你顺产。

不，我不生孩子……我师父的私生子说不定蛮多。

那回头给你师父介绍介绍，对了苍雪之牙也在这儿，我也可以提供魂兽保胎blablabla…

莲泉喊你回家吃饭。

·主人说话不经大脑·

女神的裙摆

你为什么老往上看?

我们不是在女神的裙摆里么?

所以呢?

女神的内裤在哪里?

嗷

在女孩子面前怎么能这样说话!

·主人陪我玩游戏·

怎么就你自己在这儿蹲着,麒零呢?

我在这儿呢~

上次的那个事件……

刷—

我在这儿~呢~

正经点!

·和主人一起扮演星座·

狮子座

人马座

双子座

双鱼座

鱼在哪?

肚子里……

·我的偶像·

我的偶像不多,但霞虹绝对算得上一个。

他不爱说话,跟我一样喜欢思考。

而且我主人说只穿内裤的人是非常厉害的人,还都极具正义感。

例如海尔兄弟、超人、铁臂阿童木……

·主人是个热心肠1·

·主人是个热心肠2·

·主人心直口快·

咦？缝魂哥，你背后怎么多了一双翅膀？

啊呀呀呀呀呀不是不是，那是魂兽闇翅的翅膀。

缝魂哥你头上的圈是……？

那只是人世间永无止境的苦难轮回。

听说你在正篇中被作者弄死了……你是不是变成了天使？

死是死了……才不是因为"反正这么废柴推动不了剧情也没有人气"。

甚至死前连一句"请你自由地……"台词都没有。

咱是纯爷们儿，死得干脆！

·我有英文名了·

身为主角应该有个英文名才帅气，帮我想一个吧。

我想想。

你看你的名字"麒零"跟"70"一个发音，就叫seventy吧。

麒零qí LíNG

哇~很个性的样子~对了，苍雪之牙也要有个英文名才好。

人气宠物一般叫什么？

伊丽莎白。

那苍雪之牙就叫伊丽呼伦贝尔好了！

好……好山寨！

·又丢脸了·

小苍，我的后背就交给你了。

不是指让你给我后背搓澡啊啊啊！

好吧，即使帮不上忙，别丢脸就行了。

我们不是在做马戏团表演！不要条件反射玩倒立！

·主人之师果然出自马戏团·

我说呢，师父让我表演吞剑、让苍雪之牙钻火圈，训练起来都一套一套的，原来师父你真是马戏团出身。

对，那时还没有你呢，以我为主角的那本书叫《绝技》。

杂技绝技

是平装版还是限量版？

是伪装版。

杂技绝技

那分明就是盗版吧……

这样下去等到下一本的时候应该就叫做《绝迹》了吧。

缝魂已经被铲了，

??

·我所听到的传说·

漆拉,从我搜集的资讯来看你现在和一度王爵走得太近了!你们的关系很可疑。

不

我是为了决斗才频繁去找他的!

想不到你这么有男子气概,以前我一直把你当女人看待呢~

谁要是敢跟我争小吉就来跟我决斗吧!

……

·关于西流尔·

师父,据你了解六度王爵西流尔是个怎样的人?

是个很有用的人,我们搬家都找他。

那一定是跟苍雪一样有力气的人啊!

不

不,我们让他跟要搬的家具合为一体,家具就会自己走到目的地了。

你们好无情,怪不得西流尔叔叔会躲去雷恩岛。

这是大人的智慧……

·其实我没想深究·

苍雪啊，我给你说个秘密，你可不要告诉别人哦~雷恩岛大混战那天我都紧张得想吐。

当然，没吐。

当然，也不是咽进去了。

真的不是……

……

·沾花惹草师徒·

最近我们师徒被评为沾花惹草师徒，我觉得很不公平。为什么会这样？

没错，怎么能这样！

对了，你这么晚出来，你男人不担心吗？

吉尔伽美什

你男人的男人不担心你吗？（漆拉）

漆拉

你男人的男人的仇敌不担心你吗？

幽冥

你不用提醒了我明白了……

·比上不足比下有余·

你知道吗？那天我看见你师父跟幽冥……

幽冥不是死了吗？

什么呀死的是缠魂。

对了你是谁？

我是修川地藏，你连我都不知道。

原来你就是久闻大名的一度王爵啊！

一度顶个屁用，我觉得我被排挤了，从来没机会露脸。还不如伊莲娜和费雷尔。

伊莲娜、费雷尔是谁？

你应该多想想藏河、束海他们的待遇，你还算不错的啦。

呃，也是……对了，你说的这些人是谁？

你知道吗？

·打闹·

今天教你野外追踪。

你看这一地的毛发和鸟羽，是狮子捕猎的痕迹。

来追我～

啦啦啦～

呃……

这个……其实是昨天苍雪在这里玩耍时掉的，那些羽毛是翅膀上的。

那么……这里的一摊血是怎么回事？

好像是我的血，怪不得每次跟苍雪玩过之后都感觉晕晕的呢～

第五章

观 后 篇

　　《临界·爵迹Ⅱ》的结局必然是一个亮点，也会是他世界观的突破口。据说，一个作者设计的人物或者故事都有可能只是设计，但是，有一点是他绝对要表露的初衷——那就是整个故事的戏剧高潮。你要看一个故事从怎样的困难情境，转变到怎样的平衡点，这个转变，其实是一个作者最想去描绘的。

你的残忍即温柔
——《临界·爵迹》读后感

文/消失宾妮

　　昨天看完《临界·爵迹Ⅱ》的倒数第二章，夜里醒来，想起小四说他今晚一定完成最后一章，于是打开电脑等他的文档。等着等着，才想起，他写这本书的过程中，大多数都是一个人在黑夜里拼命地打字。那时我也在夜里赶稿，时常跟他在夜里遇到。最开始我并不知道他要讲一个怎样的故事，他一章一章发给我，我一章一章看完，然后讨论。最初大家讨论的点是情节的走向，他是个很爱讲故事的人，爱到他绝不会剧透给你他的下一步打算。

　　有时我想，他最享受的就是你被他的故事迷惑、沉沦，他有着一般作家不会有的对故事的绝对热忱。这种热忱许多人已经丧失，比如我，他总说我太爱讲道理，可是小说应该讲的还是故事。

　　如果要说第一印象，那《临界·爵迹》一定是个很"好看"的故事。脉络、布局、人物、景色描写还有血腥的打斗场面。在最开始，我发觉他骨子里残酷美学的劲儿在这个故事里被释放得很明显。这有时让我想起十年前的《幻城》，那是座精致楼阁的美，而《临界·爵迹》的美却是完完全全的另一种，如同一双经过时间抚摩过的手，温柔地伸手，朝向那座空中幻境精美楼阁，然后，一握拳，狠狠砸下去，全都打碎——温柔，却残酷。

如果说大一点儿的观点，我们会说，一个作家的改变跟他的内心有关。很多时候，我跟笛安有种喜好，就是试图去寻找一个作者在文章中寄放自己灵魂的地方。也许因为我们本身也写作，我们就坚信每一个作家都有这么一个点——如果用《临界·爵迹》作比方，那就是一个作家的魂印——每一个作家都会把自己所有的能量藏在那里，每当要写作，就如同王爵要调动魂力去撞击自己的魂印，作家也是用思绪去反复触摸内心的那个点，或伤口，以此变成表达或叙述的源头。

于是，我们又要想，小四的"爵印"在哪儿？

我不能说我完全知道。因为以下大部分都是我的猜测。我猜测的蓝本是基于我对他的了解，也是因为《临界·爵迹》。他是一个把自己藏得很深的人，但与此同时，他基本不太隐藏自己的喜好。曾经有一次，hansey问我："你觉得《临界·爵迹》里，小四最喜欢的人物是哪一个？"

我想了很久，才觉得这个问题真的很复杂。

除开《临界·爵迹》的复杂，还有他创作《临界·爵迹》本身的复杂。也许作为一直看他创作的朋友，我是最明白他经历过的几个转折点的人。我甚至知道他最初连载的版本与最终出版的版本的每一个细节差别（不过，这是因为我细致看过修订的对比稿）。也许别人在看故事，但我，本身是个创作者，我在看到他调换语序、段落、结构时也会试图去猜测他作此修改的初衷。

其实连载版和终版除开情节的不一样（终版绝对要完满、丰富许多），许多段落的调换表明他想描述的主角，从最初的银尘、麒零扩大到了这十多个王爵、使徒。其实在连载版里银尘和麒零还称得上是绝对主角的地位，但终版中大量扩充到其他角色的前史描述，表明他心中有意想将主角的天平放给所有人。

所以我最后给hansey的答案是：所有人。每一个角色最闪光的那个点，其实都是他最喜欢的，也或者，就是他本身。

我也不知道这么揭露他会不会让他不高兴。因为，我知道每个以小说为主要体裁的表述者，都有想隐藏自己的念头。这种念头源于自己不想直面自己的不安全感。可是，作为朋友，我总能从他的诸多角色里看见他的影子。当然，每一个人的个性都有夸大和戏剧修饰，可是源头都像他的分身。

比如银尘性格里挥之不去的孤独，对吉尔伽美什最诚意的依赖、坚持、追随；比如鬼山莲泉耿直刚正的理想形象；比如麒零初生牛犊般的憨厚直爽、爱嬉闹、重义气；比如特蕾娅表面蛮横，但内心一直怀揣着秘密想要在这残酷的世界里求生；还有幽冥，那近乎残酷审判者的形象。

然后我串联起他们去解读作者藏有自己"魂印"的地方。

孤独，追求，理想中的耿直完美，初生牛犊时的憨厚，而至后来的残酷求生，又变成近乎残酷的审判者。——但尽管是审判者，如同幽冥，也有一个他永不触碰的保留点，特蕾娅。

——所以，这个故事虽然残酷，可他心里却没有真正的坏人。

也许我用这些人物去类比他是不成熟的。可是，我仍然相信至少代表一部分的他。这至少是他调动起自己的力量去撞击自己"魂印"的结果。

也有好几次，我们聊起这个故事，他自己也说，他喜欢的主角其实一直在变。这个他写了几年改了无数次的故事，一直没能尘埃落定，必然源于他觉得，他要的世界还不够表达他的观点。他也说，一个玄幻故事需要设置世界观。

可为什么要自己设置世界观？为什么不写现实主义而要虚拟一个情境？——很多人不理解。然而，一个作家要虚拟一个情境，是因为现实情境的力度也许不能给他足够的戏剧冲击。他想要的那种凶猛残忍的力度，在现实里也许很难成立。所以他设置了地、水、火、风四国，设置了七个王爵、七个使徒，设置了这么一群力量卓越、在世界的高端守护着秘密的人，设置了力量的压倒以及"瞬杀"。——其实在最开始，我还觉得"瞬杀"的设置有点儿难控制，因为这个世界若以力量为主不就完完全全成了弱肉强食？

可是，后来，我终于明白，他就是刻意放大了生活中的弱肉强食，他用"瞬杀"和故事中各种夸大的力量调度，想让读者最快程度明白环境所造就的一种压倒性的胁迫——就像三个白银祭司所制定的世界准则，那些不为人知的秘密，以及准则，《临界·爵迹》的世界无不彰显上界的武断独行与残忍、世界准则的冰冷无情。

——所以我又猜，其实他内心对世界有着绝望的认定。

可是，在他的故事中，纵然大环境如此，生命的无序与无稽，可是，一旦沦为生命，就算只是试验品（如同幽冥和特蕾娅），他也要撑起自己活下去。

《临界·爵迹Ⅱ》的结局必然是一个亮点，也会是他世界观的突破口。据说，一个作者设计的人物或者故事都有可能只是设计，但是，有一点是他绝对要表露的初衷——那就是整个故事的戏剧高潮。你要看一个故事从怎样的困难情境，转变到怎样的平衡点，这个转变，其实是一个作者最想去描绘的。

所以，《临界·爵迹Ⅰ》只是容他铺开自己的世界观，而《临界·爵迹Ⅱ》的结尾，却是他的那一群人物都在腹背受敌中开始选择自己的真正形态。在这个结尾，所有人都要触摸到自己灵魂中最想选择的部分。世界的大阴谋是背景，这些掌握力量却也要顺着世界准则求生的人在显山露水的结尾中彼此选择。在结尾的瞬息万变中，他要写出一系列角色的突变，都是他的初衷。好似银尘最终完成对吉尔伽美什的至死追随，麒零在银尘死时一瞬被迫的成长又是何其辛酸，鬼山莲泉的忠义导致最后的悲惨结局，而特蕾娅和幽冥却在一直以来的表面残忍中，显出自己出身残酷所以逼不得已凶残的求生意愿。

至关重要的更是，你看他创造的一系列角色，都有着看似绝情的表象，却又有着转述自己的柔软命门。为了所挚爱的去残忍，但残忍有时是对抗世界的手段，却不是以此为王的方式。

结果，这个最初看起来光怪陆离残忍血腥的世界，杀戮的背后，主角们的变化何其丰富，又何其让人心疼。

说到最后，他"魂印"的位置，回路，也许你们都已有了隐约的猜测。可原谅我不去挑明，因为我相信每一个认真看完《临界·爵迹》的人都会看到它的存在。看到他表面的残忍底下的温柔。我有时也会想，这十年他经历了多少，会让十年前搭建起《幻城》的那个人，伸手去写这么一个故事？他不再经营曾经精致的美好，而将一切打碎，而后在废墟里拨开血丝碎肉，握住他深藏的跳动的心脏，既疼，又不得不这样守护。他每一刀残忍背后都有一种深邃的温柔，好像在用行动告诉你，这个世界很残忍——可是他的语调，却很温柔。

他创造了一个世界
——《临界·爵迹》读后感
文/自由鸟

我是从何时开始追逐这个被大家叫做"小四"的男孩的文字的呢？

2003年，是的，没错。我购买的第一本郭敬明的书，并不是他的成名作《幻城》，而是由上海译文出版社出版、黑色封面的《左手倒影，右手年华》。透明犀利、温暖明亮、青春惆怅……种种情绪用纤细若蝉翼的华美文字丝丝缕缕展现出来，表露无遗。我还清楚地记得那本书的封面设计是hansey，插图是冯戈。很喜欢。之后又慢慢读了他写的《梦里花落知多少》《幻城》《1995—2005夏至未至》……还有他主编的杂志《岛》。同好朋友拉仔讨论说这孩子真的太有才华了，因为他不仅会写文字，而且还能编杂志，更把杂志做得如此惊艳——同其他的青春文学杂志都不一样！怎么说呢，全新小宇宙在远处爆发并不断壮大的感觉吧。

我只是默默惊叹着。冯戈我认识，但我有作为漫画家的傲娇，我不会去追星，不会去索要郭敬明的联系方式，只是作为千百万读者大军中的一员，作为一个仰头观望浩瀚星空的远眺者，长久支持和关注他的成长和辉煌。绝对没有想过有一天，我竟然会那么巧合地遇见小四，成为最世旗下的签约作者，成为可以彼此信任和比肩依靠的好朋友。

但当我成为和郭敬明一起在《最小说》平台上展现各自才能的写作者之后，我开始变得害怕去读他的作品——特别在我也酝酿精神力量写奇幻题材小说之时。

上帝赐给写作者最好的礼物是丰富的个人体验、牢不可破的孤独和某种秘密的对凡尘俗务的疏离感。这样才不容易被影响、被渗透。为了固守孤城，建造属于自己的小星球，我特别不想臣服于某位还活着的作家，更糟糕的是还认识他本人，隔一段时间就会混在一起吃火锅、疯狂K歌……

但到底还是抵不住诱惑，如饥似渴地读完了《临界·爵迹》。一边看电子文档，一边近乎崩溃地想着：我害怕的事情还是不可避免地发生了啊。

《临界·爵迹》中的奇幻文字，比十年前的《幻城》更具"精神浸染"的雄浑力量。

就像一位爱极了小四文字的作者对我说的那样：郭敬明擅长构建异常宏伟的架空世界，他具有一手创造全新寰宇的力量。

他只是轻皱着眉头，斜斜扬起唇角，凝神面对笔记本电脑，那些日月轮转、星辰会聚、银河流泻、凡尘沧桑、万物生湮、爱恨情仇……都在他指尖闪烁着光芒飞旋着出现。

他是文字的新世王爵，是奇幻小说的巅峰。

我真讨厌我自己这么说。因为古话说"文无第一，武无第二"。

但当我被郭敬明笔下的【奥汀大陆】、【亚斯蓝帝国】、【王爵】、【使徒】、【侵蚀者】、【白银祭司】、【灵魂回路】、【黄金瞳孔】、【风水禁言录】……种种用冰雪般剔透的文字所营造出来的残酷瑰丽的战斗杀戮、背负着不同性格走向各自命运征途的悲烈人物、繁复曲折机关密布的诡异情节……所折服，不得不承认，他具有远远超越其年龄的心智和【天赋】。

我真讨厌他。当我还在苦苦寻找龙角踪迹的时候，他已经高高擎起手中的那颗龙珠，光耀于世了。

十年
——《临界·爵迹》读后感
文/李枫

这应该是《最小说》历史上从未有过的连载，一部魔幻大制作，因为它的漫长。从未有过的首印量、从未有过的宣传力度，让它本身之外像是个巨大的引擎，无论是对出版业，还是它本身的魔幻写作。

阔别十年，《幻城》到《临界·爵迹》，在我们的校园时代，即使没有看过《幻城》，却都听说过这个名字，它就像是个标志矗立在那时的空中，其中转转到如今《临界·爵迹》，十年，重回魔幻，又是那些在书页上离我们很近，却又从未在这个现实空间中存在过的人物，他们的追寻、拼杀，炽热逼真的情感，却又是在那个我们永远也无法去到的世界里——现在很多画面就像过电影，一帧一帧在脑海里闪过——一身银白的男子木然的脸，早已没了眼泪，柔软内心里最后的一丝温度，年少懵懂的麒零扎着小辫，从一棵被阳光照得金灿灿的大树上跳下来——这都是它们的片段，十年变得好短好短，就像一瞬间。

先放下故事本身不谈，有好几次看到微博上有关《临界·爵迹》的短文都会蓦然心酸，"今天，我终于带来这部作品——《临界·爵迹》，我很紧张也很惶恐。因为我对它有期待，有憧憬。希望大家喜欢它""我不是十年前17岁的小伙儿了""十年了，正如很多人期望着的那样，我依然坚持着；但同时这也让很多人失望了，因为他们期望着我倒下""我能听见你们对我说的每一声'加油'，就像每天我对自己说的一样"等，这些话语就像自己一起经历了一样，也包括看到各大书店林林总总的《临界·爵迹》的图书、宣传物品等，是的，它不是一部单纯的小说作品，它是掷地有声的纪念，就像它可以与电影预告片媲美的宣传视频，带动人一起热血沸腾为之感叹。

而这个纪念的故事本身已经是一部纸上大片。读罢全文，想起初看时，也是在寄来的样刊上看连载，一章一章，情节起伏，如今收到全卷，最终版本，刚点开就像能感受到它的重量，密密麻麻文字语言，从早已熟悉的"第三个红点"开始，再一次跟着麒零开始他的奇异冒险。这片亚斯蓝大陆一点儿一点儿向外蔓延，繁多的人物出现消失、埋伏隐藏着，故事是浩瀚的，梦幻是奇异的，文字的电影跃然纸上。

是那句话，"用今日成熟的文笔挑战《幻城》"，必然是成熟的，也必然战胜了，或许在记忆中，或是时间河里，它们只是两岸相互照应的两个个体，没有可比性也无法比，但无论如何，《临界·爵迹》还是出来并且毫无悬念地刷新了《幻城》的纪录。

十年《临界·爵迹》，轮回，纪念。一点点变强的麒零还在路上，没有间断，变得更强，停在前方的，永远都是下一个十年。

是盛宴，也是浩劫
——《临界·爵迹》读后感

文/陈晨

　　说实话，《临界·爵迹》是我第一次那么痴迷于一部奇幻小说。在这之前，我相信很多人和我一样，和现实的青春小说相比较，对奇幻类的作品比较无爱一些。因为之前读的一些奇幻小说，情节已经脱离了离奇，而是扭曲。作者完全凭借自己不健全的想象，胡编乱诌，让读者很难真正融入和信服这个故事。

　　但是《临界·爵迹》不同，从第一章开始，我就被这个庞大的世界观给迷住了。每一个人物，他们的魂兽、武器、攻击方式……让我觉得这不是一部小说，而是既像一款制作成熟的游戏，又像好莱坞的奇幻大片，有着史诗般的气势。

　　作为一部成功的奇幻小说，原创性强的设定和个性迥异的人物，以及让人眼花缭乱、感官冲击力强的叙述功底，这些都是必不可少的。如果再把世间的情感灌注进去，让读者身临其境产生共鸣，就更增加了可读性。四爷的这部《临界·爵迹》简直就是把这些完美地结合在了一起。想想看，那些被中括号括起来的专有名词，几乎都是第一次听说吧。而这些名词，也不是作者随便编造出来的。记得在《最漫画》上看《新·山海经》的幕后花絮，爷就说到了，他在设计这些名词的时候，是考证了很多古代的传说和名著的。每一个名字都有它的内涵、辨识度。

天然呆的麒零，傲娇男银尘，娇纵女天束幽花，腹黑男吉尔伽美什，重口味女神音（因为魂兽是多毛蜘蛛），等等等等，几乎每个人的性格都具有独一性和不可复制性。虽然在其他的作品中有类似性格的人设存在，但总感觉这些人物在《临界·爵迹》中是如此鲜活、独特。几乎每一个角色的存在，都是有他的理由的，都是有自己明确又坚定目标的。他们，只属于《临界·爵迹》，无法复制。

对于像我这样本来对奇幻题材不太感冒的人，《临界·爵迹》吸引我到现在的另一个重要的原因，就是总是带给我源源不断的惊喜和悬念。各种各样的战斗场面，大场景远镜头的描写和微距特写的转换，这些对于作者来说，都游刃有余。

刚刚放下3月号里的《临界·爵迹》连载，银尘的身世和亚斯蓝的秘密初露端倪，但又有新的谜团。一个又一个的谜团，越来越扑朔迷离的故事，这或许就是《临界·爵迹》的魅力吧！

当然当然，说起《临界·爵迹》的话，还有一个人是功不可没的，那就是浣姐。画技精湛自不必说，我想说的是【感觉】！不论是哪个人物，画里他的神情、动作，甚至在二次元世界里也能感觉到的气质，都与四爷笔下的人物完美地吻合。那幅跨页的吉尔伽美什端着红酒的插画，瞬间萌得我鲜血翻涌。那帝王般的姿态、王者般的气势，都深深地折服了我。3月号的跨页"吉尔伽美什大战宽恕"，吉尔伽美什优美的战斗姿态和仿佛轻松自如实则相当紧张的表情画得都十分到位，而【宽恕】更是把美艳和残暴完美地结合在了一起。浣姐是神啊！（浣姐，说了你那么多好话……下次年会就不要再偷拍了……）

最后的最后，我说一下我的幻想好了。我希望爷的《临界·爵迹》每次（还要有几次？）出单行本的时候，都是《新概念英语》那么大开、《辞海》那么厚的单行本，这才是《临界·爵迹》该有的气势和质量！（只是幻想而已 =皿=）我希望银尘的下场不要太惨、吉尔伽美什的结局不要太悲，麒零到最后一直是处男（喂！！！），天束幽花到最后一直是处女（喂！！！），特蕾娅那种腹黑女尽早死无葬身之地吧！虽然我知道她是一个很重要的线索性人物，但是她太嚣张了。还有还有，就是霓虹要一直活下来啊啊啊，虽然我咒你的主人（主人……）早点儿死，但是并不代表我不爱你……你那天然的杀气和单纯的天真都深深地……（远目……）

据说这次的《临界·爵迹》单行本不像以往一样，单行本由连载和新内容组成。这次的整本内容，四爷都作了新的设定，重新构思情节！在感叹创作态度认真的同时，我也极为愤慨，这到底是什么妖书！暑期档的大战又没有悬念了，我们放弃算了！

在我们生活的世界之外，真的还存在那样一个世界吗？孤傲冷漠的王爵，冰雪覆盖的城市，灿烂的灰烬，还有破灭的爱与恨。你相信它的存在吗？

我相信。

驾驭一个世界
——《临界·爵迹》读后感

文/王小立

老实说，我是在《临界·爵迹》终于集结成单行本后，才正式阅读这个故事的。而之前，当它在"最"上连载的时候，我并没有太过关注——或者说，刻意地没有关注。原因很简单，因为《临界·爵迹》是一本需要一口气读完才能真正体验到"爽感"的小说。

这段时间，因为自身也在写一部玄幻类的作品，所以对于玄幻小说的阅读量也较之以前有所增长，但在我所看的这么多小说里、认识的这么多的架空世界和人物设定里，《临界·爵迹》世界设定的复杂度依旧可以毫不夸张地排到首位。这个架空的世界，由四个国家所组成，每个国家有七个王爵，每个王爵有一个使徒（一等王爵有三个），而无论王爵和使徒，每个人同时又能拥有至少一把魂器和一只魂兽……仅仅只是这样平板地概括，就足够感觉到迎面而来的巨大的"想象力风暴"——说真的，当我第一次知道这个设定的时候，我其实并不太看好这个故事。并不仅仅只是设定庞大的关系，而是这些设定与设定之间互相衍生、互相牵扯的部分实在太多：各种王爵的设定、各种使徒的设定、各种魂器的设定、各种魂兽的设定……光是用嘴巴过上一遍已经让人觉得"脑子要瘫掉了"，我实在无法想象要将脑子运用到怎样的程度，才能做到将这些零碎的繁复的花哨的存在，整合成为一个故事。

但是小四做到了，不但做到了，而且做得很好看。从最开始的双空间叙述，到之后的时间轴交替叙述，他就是这样轻轻松松，将整个世界和各种花哨的设定，在读者的面前不疾不徐缓缓铺开——甚至还在过程里不断地增添新的设定，譬如"白银祭司"，譬如"侵蚀者"，又譬如各种"天赋""阵法""灵魂回路"……这些设定听着似乎花里胡哨的一大堆，但只要看了故事，就会发现，每一个设定都有着自己必然的存在价值。它们随着故事的行进被带进了读者的眼，又在同时带领着整个故事的继续前进。也正是因为如此，尽管《临界·爵迹》里的设定如此之复杂，但却并不会让人觉得"太乱"或是"浮躁"。能做到这一点，实在是非常地了不起。

似乎写着写着就变成了学术性的研究……但确实，身为一个正在写作瓶颈期挣扎的作者，在阅读《临界·爵迹》的时候，我一直在思考一个问题——

作者究竟是如何驾驭好这个如此庞大的世界的?

是的。对我而言，那些极具电影画面感淋漓尽致的打斗画面并不是最难的。那些将十来个人物角色全部塑造得鲜活有力各具萌点并不是最难的。那些犹如黑色的迷雾般不断叠加出现的悬念设置并不是最难的。甚至我上面所说的，将不同时空里的故事同时处理得巧妙干净的叙述都不是最难的。最难的，其实就只有两个字，"驾驭"。

那并不仅仅是靠技巧就能达到的境界。而是，需要真正基于灵魂的冷静与自信——用巨大的冷静，布下世界的棋谱。然后用极致的自信，赋予人物在这个世界里的自由。

最后，以至高无上的王的身份，赐予这个世界，名为《临界·爵迹》。

所谓驾驭，就是如此。

完美的黑暗奇幻
——《临界·爵迹》读后感
文/恒殊

　　一本书没有好坏之分，只有好看和不好看之分。同样，小说这种文学体裁，自诞生之日起，唯一的目的就是为了娱乐读者，而不是说教或传递某个精神目标。如此看来，无论是恢弘缜密的背景设定、跌宕起伏的情节发展，还是鲜活丰富的人物塑造，《临界·爵迹》都给我们递交了一份完美的答卷——这本书非常好看。

　　最早的奇幻小说脱身于西方古典神话与传奇，比如远在纪元前的首部英雄史诗《吉尔伽美什》，延续至今，形成了奇幻小说中的主要流派，英雄奇幻。剧情大部分是一个人或几个人出发去完成某个不可能的任务，比如杀龙，比如寻宝，比如救公主，或者三者皆有。还有一种，是像《临界·爵迹》这样的黑暗奇幻，多角色，多线索，剧情更加庞杂繁复，由浅入深，慢慢揭晓最终的黑暗谜团。

　　英雄奇幻不好写，黑暗奇幻就更难。这不但需要作者缜密庞杂的背景设定，从地形、种族到日常生活一切细致入微，如何把故事圆满地讲出来，则更加是个难题。牵扯太多，阴谋太大，铺垫放在哪儿，圈套下在哪儿，哪里应该抓住读者，哪里应该抖落包袱，这一切都需要严谨高超的写作技巧才能做到。《临界·爵迹》在这方面非常成功，首尾呼应做得极好。莲泉的双重王爵，银尘的"大天使"身份，以及结尾处的"零度王爵"，无一不是书中精彩之至的闪光点。看了这么多年小说，能让人感到惊喜的情节已经不多，但是《临界·爵迹》中的惊喜竟然接二连三，层出不穷，令人拍案叫绝。

再说人物。《临界·爵迹》一反某些奇幻小说中惯用的单人RPG苍白描写，大胆启用了多人物多视角的多线式描述方法，每个人物都是主角，每个人都在宏大的故事情节中扮演着不可或缺的角色。单纯质朴的麒零，孤傲脱群的银尘，神秘莫测的漆拉，英雄主义的吉尔伽美什，虽然角色繁杂，名字也很难记，但是这些人你只看一眼就不会忘记。书中每个人物的性格都是鲜活生动的，一页页翻过故事，王爵与使徒从书页中走出，栩栩如生。

仅举一例，也是书中我最喜欢的人物——幽冥。他的首次出场极符合他的外号，杀戮王爵。一身墨一样的黑袍，还戴着伏地魔式的兜帽，神出鬼没，邪魅凶狠。看到他斩下自己使徒神音的手腕，你会惊叹他到底是个什么样的恶魔。但是接下来，作者花了大量笔墨描述幼年时的他与特蕾娅相依为命，互相扶持，一步步爬到顶峰，你会感慨他的际遇，叹息他的人生。而到了本书结尾处，竟然不忘再刷上一笔他内心深处的温柔与深情，几乎令读者潸然泪下。这个人物的形象塑造至此达到巅峰，情感描写丰富细腻，放下书本，你仿佛能看到他在黑暗里荧火一般滚烫发光的绿色眼睛。

最后再谈谈《临界·爵迹》的背景设定。风、土、水、火四国，七位王爵，魂术及魔法……其实这种设定并不陌生，数字"七"一直以来都是神秘主义的代言，东方有青龙、白虎、朱雀、玄武二十八星宿，西方有《圣经》、《启示录》、七大天使。四大元素就更不必说了。传统已经存在，颠覆与超越都是难上加难。但是一度王爵的使徒竟然有三位，之上还有"零度"王爵，这些隐藏在设定中的小惊喜一个接一个，随着情节的发展，你逐渐发现一切并不是表面上看起来那样简单。作者秉承传统西方奇幻的经典传统，加入自己的理解和再创新，给我们带来了一个精彩绝伦的空中花园，一个充满魂力的纯金色奥汀大陆。当然还有那些精彩纷呈的魂术打斗和令人瞠目结舌的魂兽和魂器，足以在读者头脑中形成一股完美的阅读风暴，把你我的想象力发挥至极限。

《临界·爵迹》并没有结束，《临界·爵迹Ⅱ》的结尾，只是把前面零散的线头稍稍整理一下，顺便埋下更深的伏笔和线索：吉尔伽美什复出，四方阵营划清，银尘这一次真的死了吗？暗化的格兰仕去了哪里？是谁清扫了尤图尔遗迹中的全部亡魂？这一切的谜题都要在下一部或者再下一部中揭晓。

西之亚斯蓝之后，北方极寒之地，更强大的风爵们整装齐备，蓄势待发。

那段奇葩写奇葩的日子
——《临界·爵迹》读后感

文/猫某人

以下内容，与其说是读后感，不如说是目睹《临界·爵迹》诞生的感想，用最近比较流行（畅销）的说法就是"陪郭总过日子"。（小四：……你几个意思啊？）

郭先生写作有个特点，尤其是写奇幻——半夜里，他会先把自己写得感到"实在是太恶心了！令人发指！"或者"太帅了！人间绝品！"或者"她是真的女王！我要做她的裙下之臣！"或者"好恐怖啊……不敢去厕所了……里面好像有什么幽幽地盯着我呢……"然后他就开始一段段拿来剧透了，等到被剧透的人对着夜空发出"你写得太露骨了！我有密集恐惧症！我要和你绝交！""他死了！死了！！死了啊！！！""你不是号称艳情小说家吗！网上不是说你三俗吗！（……）他们不是说你就会写脸红心跳的段子糊弄小姑娘吗！（……）下文呢！怎么才刚到××这一步你就卡掉了啊！下文呢！"等撕心裂肺的号叫时，他满意了，他踌躇了，他觍着那张小脸儿敷面膜去了，留下你一个人为断断续续的剧情抓耳挠腮翻来覆去如坐针毡……

不过想从郭先生那儿拿到全文并不难，你只要告诉他"……我觉得也没什么嘛""还好啦""正常发挥"这些关键词，坐不住的就是他了，他会立即一边尖叫着"不可能！""那是你没有看完！""我就不信邪了！"一边把下文贴出来——或者直接把整个文档发给你了。

《临界•爵迹》截稿期一拖再拖，众编辑想尽办法把郭先生逼得鸡飞狗跳的，比如丢掉他的大牌衣服，比如把kitty送去流浪宠物收容站，比如黄了他看好的房子……甚至连有"催稿界的西兰花"之称的青姨抛出"再不交稿我就住到你家去，睡你的床，用你的马桶"这个曾经成功搞定安东尼的绝招，都没有奏效。最后，大家一致决定"再不交稿就删了你的植物大战僵尸"时，郭总终于屈服了，他开始"最后"修改了，迅雷不及掩耳地，鬼斧神工地。但是一秒钟没下印厂，他一秒钟都不肯放弃虐待和自我虐待：每隔几天，他都要修改些什么，从段落到标题，从修辞到单字，他的借口也层出不穷，什么"查了最新的词典，人家不要被说是文盲！人家要改！""你觉得这里还有那里换个介词如何？有没有更戳心戳肺呢？""我看出了BUG！我要重新设定一下！""亲爱的，我就加一句话，就一句，我请你吃饭！"……出版社的人几乎是带着哭腔打电话过来求情，"赶紧印了吧！读者敲碎好几块落地窗了！各地代理商要跳楼了！我家上有老下有小！拿去印了吧！随便卖卖就是钱啊！是钱啊！"

但是郭先生还是置若罔闻，我行我素……在最后把某一章节的标题心满意足地改为"浆芝"后，他还炫耀说："怎么样？带不带劲儿？那种又灵异又恶心又鬼魅又怕怕的调调，是不是表达得淋漓尽致的？"

……你都畅销成这样了你还字斟句酌个什么啊！给其他作家一条活路吧！

| TOP 25
2010 年上海最世文化发展有限公司畅销书排行榜

排名	书名	作者
1	临界·爵迹 I	郭敬明
2	小时代 2.0 虚铜时代	郭敬明
3	这些 都是你给我的爱	安东尼 echo
4	东霓	笛安
5	夏至未至（2010 年修订版）	郭敬明
6	幻城	郭敬明
7	小时代 1.0 折纸时代	郭敬明
8	橙一陪安东尼度过漫长岁月 II	安东尼
9	悲伤逆流成河（新版）	郭敬明
10	小时代 1.5 青木时代 VOL3	陌一飞 郭敬明 猫某人
11	直到最后一句	卢丽莉
12	燃烧的男孩	李枫
13	年华是无效信（2010 年修订版）	落落
14	西决	笛安
15	陪安东尼度过漫长岁月	安东尼
16	迷津	萧凯茵
17	青春白恼会 VOL4 摇滚特工队	千囧 爱礼丝 阿敏
18	蔷薇求救讯号	卢丽莉
19	告别天堂（2010 年修订版）	笛安
20	痕记	痕痕
21	小祖宗 1.0 魔术师	自由鸟
22	馥鳞	消失宾妮
23	童年是孤单的冒险	简宇
24	远歌	蒲宫音
25	恋爱习题与假面舞会	爱礼丝

CAST

爵迹·燃魂书

原著作者
郭敬明

出品人
郭敬明

选题策划
金丽红　黎　波

项目统筹
阿　亮　痕　痕

责任编辑
杨　仙

特约编辑
阿　亮

资料整理
消失宾妮　张喵喵　王　羽

责任印制
张志杰

装帧设计
ZUI Factor

封面设计
胡小西

绘图
王　浣

漫画
千　靥　猫　泽

版式设计
张　强

出版社
长江文艺出版社

出品
上海最世文化发展有限公司

官方论坛
http://www.zuibook.com/bbs

平台支持
最小说　ZUI Factor

图书在版编目（CIP）数据

爵迹·燃魂书/ 郭敬明 消失宾妮 张喵喵 王羽等著
武汉：长江文艺出版社，2011.01（2013.12 重印）
ISBN 978-7-5354-4557-5
I.①爵… II.①郭…②消…③张…④王…
III.①长篇小说—文学欣赏—中国—当代 IV.①I207.425
中国版本图书馆CIP数据核字（2010）第105298号

⟨爵迹·燃魂书⟩

郭敬明 等 著

出品人：郭敬明	封面设计：胡小西
选题策划：金丽红 黎波	绘 图：王浣
项目统筹：阿亮 痕痕	版式设计：张强
责任编辑：杨仙	装帧设计：ZUI Factor
特约编辑：阿亮	媒体运营：赵萌
资料整理：消失宾妮 张喵喵 王羽	责任印制：张志杰

出版：湖北长江出版集团
长江文艺出版社

电话：027-87679310
传真：027-87679300

地址：湖北省武汉市雄楚大街268号湖北出版文化城B座9-11楼
邮编：430070
发行：北京长江新世纪文化传媒有限公司
电话：010-58678881　　　　　　传真：010-58677346
地址：北京市朝阳区曙光西里甲6号时间国际大厦A座1905室
邮编：100028
印刷：三河市华业印装厂
开本：700×1000毫米　1/16　印张：14.75
版次：2011年1月第1版　　印次：2013 年 12 月第 36 次印刷
字数：314千字

定价：18.80元

sina 新浪读书
book.sina.com.cn